Nutella hat
Lichtschutzfaktor 9,7

Nutella hat
Lichtschutzfaktor 9,7

Bekannt von Facebook

Bibliografische Information der Deutschen Nationalbibliothek
Die Deutsche Nationalbibliothek verzeichnet diese Publikation in der Deutschen
Nationalbibliografie; detaillierte bibliografische Daten sind im Internet über
http://d-nb.de abrufbar.

Für Fragen und Anregungen
info@rivaverlag.de

Originalausgabe
20. Auflage 2021
© 2012 by riva Verlag, ein Imprint der Münchner Verlagsgruppe GmbH
Türkenstraße 89
80799 München
Tel.: 089 651285-0
Fax: 089 652096

Herausgeber: Pulpmedia GmbH
Illustrationen: Patrick Schmid, Pulpmedia GmbH
Redaktion: Caroline Kazianka, München
Umschlaggestaltung: Julia Jund, München
Umschlagabbildung: Patrick Schmid, Pulpmedia GmbH
Satz: Manfred Zech, HJR, Landsberg am Lech
Druck: CPI books GmbH, Leck
Printed in Germany

ISBN (Print) 978-3-86883-201-3
ISBN E-Book (PDF) 978-3-86413-104-2
ISBN E-Book (EPUB, Mobi) 978-3-86413-116-5

Weitere Informationen zum Verlag finden Sie unter

www.rivaverlag.de

Beachten Sie auch unsere weiteren Verlage unter www.m-vg.de

Der amerikanische Flugzeugträger »USS Ronald Reagan« hat seine eigene Postleitzahl.

Von den 17 bis 20 noch existierenden Pinguinarten leben nur drei ausschließlich in der Antarktis. Viele Pinguinarten sind sogar ziemlich kälteempfindlich.

Der zweite Vorname von Leonardo DiCaprio lautet Wilhelm.

Frauen werden im Schlaf von hohen Tönen eher geweckt als von tiefen, da sie evolutionsbedingt auf das Schreien eines Babys eingestellt sind.

Der Fußballer Mark van Bommel heißt mit vollständigem Namen eigentlich Mark Peter Gertruda Andreas van Bommel.

Der konkrete Grund für eine Erektion ist Stickstoffmonoxid (NO). Geben die Nervenenden im Penis NO ab, erschlafft die Wandmuskulatur in den blutzuführenden Arterien. Dadurch füllen sich die Schwellkörper mit Blut, es kommt zur Erektion.

Ein »Nießer« kann eine Geschwindigkeit von bis zu 170 km/h erreichen.

Dendrophilie bezeichnet die sexuelle Anziehung zu Bäumen.

Die Simpsons-Charaktere Bart, Nelson, Ralph und Todd werden im Original von ein und derselben weiblichen Synchronsprecherin (Nancy Cartwright) gesprochen.

In einigen Gemeinden in Sachsen ist es Frauen per Gesetz noch immer verboten, an einem Sonntag Fallschirm zu springen.

Das Frauenwahlrecht wurde in der Schweiz erst 1971 eingeführt. Im Kanton Appenzell Innerrhoden hat das sogar bis zum Jahr 1990 gedauert.

Die Erde ist keine Kugel, sondern ein Rotationsellipsoid.

Die Frau, die auf dem Bier »Tannenzäpfle« der Badischen Staatsbrauerei Rothaus abgebildet ist, heißt Biergit Kraft – tatsächlich mit »ie«. Herkunft: aus dem alemannischen »Bier giet Kraft«, was so viel bedeutet wie »Bier gibt Kraft«.

Im Kriegsfall werden auf der philippinischen Flagge der rote und der blaue Streifen getauscht.

Als »Computer« bezeichnete man vom Mittelalter an bis ins 19. Jahrhundert solche Personen, die im Hinterzimmer saßen und langwierige Rechnungen für Mathematiker durchführten.

Ein Haar ist 300 000 Atome breit.

William Howard Taft war der einzige US-Präsident, der in einer Badewanne im Weißen Haus stecken blieb.

Die schnellste Geschwindigkeit bei Skateboard-Downhill ohne motorisierte Hilfe beträgt 130,2 km/h.

Der Tarantulafalke ist das offizielle Staatsinsekt von New Mexico.

Es sterben jährlich mehr Menschen durch einen knallenden Schaumweinkorken als durch Giftspinnen.

Das Wort »Muttermal« stammt aus dem 16. Jahrhundert, als man glaubte, dass diese Hautveränderungen durch unbefriedigte Gelüste der Mutter während der Schwangerschaft entstehen würden.

Die Prinz-Philip-Bewegung ist ein religiöser Kult auf der südwestpazifischen Insel Tanna, der den britischen Prinzen Philip als Gottheit verehrt.

Tom Cruise heißt eigentlich Thomas Cruise Mapother IV.

Im antiken Griechenland existierte für männliche Ehebrecher die Rettich-strafe, bei der dem Ehebrecher ein Rettich in den Anus eingeführt wurde.

Barack Obama wird zwar als 44. Präsident der USA geführt, mit ihm waren jedoch nur 43 Personen vereidigte Präsidenten. Der Grund ist, dass Grover Cleveland – als einziger Präsident – zwei zeitlich getrennte Amtszeiten absolviert hat.

Laut Patent wurde die Dose erfunden, um das Flaschenpfand zu umgehen.

99 Prozent der Erde sind heißer als 1000 Grad Celsius.

Wenn man das Wort »Lagerregal« von hinten liest, kommt ebenfalls »Lagerregal« dabei heraus.

Die Nationalhymne der Republik Vanuatu, eines Inselstaats im Pazifik, trägt den Titel »Yumi, Yumi, Yumi«.

Robin Williams hat als eingefleischter Fan des Videospiels »The Legend of Zelda« seine 1989 geborene Tochter Zelda genannt.

• •
Im Film *Avatar – Aufbruch nach Pandora* von James Cameron haben alle Navi jeweils nur vier Finger an jeder Hand – außer die menschlich erstellten Avatare, die haben fünf Finger an jeder Hand.
• •

Der Rollstuhlservice für entsprechend eingeschränkte Reisende am Flughafen Berlin-Tegel heißt »Rollmops«.

In New York ist es gesetzlich verboten, dass Pferde Hydranten auffressen.

Die britische Post hat herausgefunden, dass über 50 Prozent der Briten an Nomophobie, also der Angst, unerreichbar zu sein, leiden.

Harry-Potter-Darsteller Daniel Radcliff saß gerade in der Badewanne, als er erfuhr, dass er die Rolle für *Harry Potter und der Stein der Weisen* bekommen hat.

Eine Unze Gold kann man in einen Faden verarbeiten, der 55 Kilometer lang ist.

Kellnerinnen erhalten in der Woche, in der sie ihren Eisprung haben, mehr Trinkgeld als sonst.

1960 wurde eine Kuh aus Kuba von einer US-amerikanischen Weltraumrakete erschlagen.

Die westlichste- (Selfkant), nördlichste- (List), östlichste (Görlitz) und südlichste Gemeinde (Oberstdorf) Deutschlands haben sich 1999 zum Zipfelbund zusammengeschlossen.

In Litauen sind *Die Simpsons* seit Kurzem verboten. Grund: Sie würden unterschwellige Werbung fürs Biertrinken machen.

Wenn man alle M&Ms, die pro Jahr produziert werden, aneinanderreiht, ergibt das sechsmal die Strecke zum Mond und zurück.

Das Michelin-Männchen hat einen Namen: Bibendum, kurz Bib.

Die Kreuzung aus einem männlichen Jaguar und einem weiblichen Leoparden nennt man Jagulep. Tauscht man die Geschlechter, nennt sich das Ergebnis Lepjag. Kreuzt man eines der beiden Ergebnisse wiederum mit einem Tiger, nennt sich das Ergebnis Ti-Lepjag.

In China wird z. B. Wein schluckweise serviert, weil man dort Alkohol gern auf Ex trinkt.

Bruce Lee besitzt den Titel des Hongkong-Cha-Cha-Meisters, weil er sehr gut Cha-Cha-Cha tanzen und unterrichten konnte.

Die beiden einzigen englischen Wörter, in denen alle Vokale in geordneter Reihenfolge einmal vertreten sind, wären »facetiously« (scherzhaft) und »abstemiously« (enthaltsam).

Grau ist die einzige Haarfarbe, die man nicht durch Färbung erzielen kann.

> **Mutter Teresa ist in Mazedoniens Hauptstadt Skopje geboren.**

Ein päpstlicher Bordellbetrieb unter Alexander VI. ist nachgewiesen. 1496 vermieteten zwei Beamte des Papstes Ludovico Romanelli das Amt eines »Capitaneus Prostibuli de Ponte Sixto«, eines Vorstehers des Bordells nahe der Ponte Sisto. Romanelli mietete von den Beamten des Papstes das Recht, von jeder der dort wohnenden und lebenden Huren eine monatliche Abgabe von zwei Carlini zu erheben sowie ein Gasthaus und ein Restaurant im Bordell zu betreiben. Aus diesem Geschäft ergaben sich nicht nur gute Gewinne für Romanelli, sondern auch für die katholische Kirche.

Der Name der Marke »Nike« geht auf eine griechische Gottheit zurück und steht für »Sieg«. Nike war die Göttin des Sieges und der Sportlichkeit, Tochter des Zeus und der Aphrodite.

Kalifornien und Brasilien liegen im Gemeindegebiet von Schönberg (Holstein), Kreis Plön in Schleswig-Holstein.

Der billigste Transfer im Profifußball wurde 2010 zwischen Real Madrid und dem spanischen Zweitligisten FC Girona abgeschlossen. Die Ablösesumme für den Reservespieler Marcos Tébar betrug 100 Euro.

Wenn alle Zuschauer unter einem gerade springenden Skispringer urinieren würden, würde der Skispringer wegen der aufsteigenden Wärme einen höheren Auftrieb bekommen und somit weiter springen.

Die Anordnung von Sonnenblumenkernen in einer Sonnenblumenblüte basiert auf der Fibunacci-Reihe, einer mathematischen Reihung von Zahlen.

Bis jetzt haben sich nur zwei US-Präsidenten insgesamt dreimal für vorübergehend amtsunfähig befunden (25. Zusatzartikel), nämlich 1985 Ronald Reagan, 2002 und 2007 Georg W. Bush. Jedes Mal aufgrund einer Darmspiegelung.

Die Melodie des Computerspiels »Tetris« basiert auf dem russischen Volkslied »Korobeiniki«.

In Hawaii ist es verboten, sich einen Penny ins Ohr zu stecken.

Das Horn vom Nashorn besteht eigentlich nur aus Haaren.

Schokolade enthält so viel Energie, dass sie brennt.

Die 2. Fußballliga in Österreich heißt »Erste Liga«.

Menschen mit Autismus sehen im Mittel rund 2,8-mal schärfer als ein Durchschnittsbürger, das heißt, ihre Sehschärfe ist mit der eines Greifvogels vergleichbar.

Ein Spermium enthält 37,5 MB DNA-Daten. Eine Ejakulation entspricht einem Datentransfer von 1500 TB in drei Sekunden.

Jeder zehnte männliche Hamster ist schwul.

Der 24-jährige US-Amerikaner Douglas Miller hat seinen Computer erschossen. Nach Angaben der Polizei in Clifton im Bundesstaat Colorado war er so sehr in das Computerspiel »Tomb Raider« vertieft, dass er mit einer Schrotflinte auf den Monitor feuerte.

> **In Florida ist es verboten, mit einem Stachelschwein sexuell zu verkehren.**

Vitali Klitschko und der FC St. Pauli haben die gleiche Einlaufmusik, nämlich »Hells Bells« von AC/DC.

Die Grenzlinie zwischen Tag und Nacht heißt in der Astronomie Terminator.

Im Mittelalter wurde bei Wettkämpfen dem Verlierer als Trostpreis ein Schwein geschenkt. Er erhielt also einen Preis, obwohl er nichts geleistet hatte. Daher das Sprichwort: Schwein gehabt.

Sämtliche Titelmelodien der Serie *CSI* stammen von The Who.

Der wissenschaftliche Name der gemeinen Elster lautet Pica pica.

Männlichen Prostituierten werden in Indien schon in der Pubertät Metallstäbe quer durch den Penisschaft eingesetzt, um die weibliche Kundschaft mehr zu beglücken. Üblich sind auch Ringe in der Haut des Penis und Perlen in der Eichelfurche.

Den 29. Dezember bezeichneten Knechte im 18. und 19. Jahrhundert in Süddeutschland und Österreich als »Scheißtag«, weil sie an jenem Tag die für den Stuhlgang während der Arbeitszeit beanspruchte Zeit nachholen mussten.

Um sich nach China durchzugraben, müsste man in Argentinien anfangen.

Das erste Magnetresonanztomografie-Bild (1979) zeigt das Innenleben einer Paprika.

Die Flaschenpost, die am längsten unterwegs war, wurde am 19. März 1955 in Neuseeland angespült. Sie wurde 1903 von einer deutschen Südpol-Expedition bei Tasmanien ausgesetzt – erst 52 Jahre später kam sie an.

Im Jahr 1996 übernahm der jordanische König Abdullah II. eine Statistenrolle in der Science-Fiction Serie *Star Trek Voyager* (Folge »Der Verräter«).

Pythagoras war Vegetarier.

Der Vatikan hat mit 100 Prozent den höchsten Katholikenanteil weltweit.

»Madam« heißt in Thai »schwarzer Hund«.

Alle Menschen auf der Welt unterscheiden sich genetisch nur zu 0,1 Prozent. Zu unseren nächsten Verwandten, den Affen, beträgt der Unterschied immerhin 1 Prozent.

Der häufigste weibliche deutsche Vorname für Neugeborene im Jahr 2010 war »Mia«.

Ein Flugzeug würde mit einer Geschwindigkeit von 900 km/h 1100 Jahre brauchen, um den größten bekannten Stern Canis Majoris zu umrunden.

In Wacken wird jedes Jahr kurz vor Beginn des Wacken-Open-Air das Ortsschild entfernt, damit es keiner klaut.

Das Wort »Reliefpfeiler« liest sich rückwärts wie vorwärts gleich.

Die Müdigkeit, die sich nach dem Essen beim Menschen einstellt, nennt man »Fressnarkose«.

Über 1700 Jahre würde es dauern, bis alle derzeit existierenden YouTube-Videos nonstop hintereinander durchgelaufen wären.

Das Computerspiel »Pong« aus dem Jahr 1972 hat keine Jugendfreigabe, weil es nie von der USK geprüft wurde.

Die ersten Partys, von denen man Überreste gefunden hat, fanden vor 12 000 Jahren statt.

Im Februar 2011 bekam ein in Ägypten geborenes Mädchen den Namen Facebook. Die ägyptischen Eltern haben diese Namenswahl tatsächlich aus Dankbarkeit für das Medium, das die ägyptische Revolution initiiert hat, getroffen.

Pink Floyd spielten 1968 in der Royal Albert Hall und feuerten während des Liedes »A Saucerful of Secrets« zwei Kanonen ab. Daraufhin bekamen sie lebenslänglich Hausverbot. Jedoch durfte David Gilmour im Jahr 2006 auf seiner On-an-Island-Tournee wieder dort spielen.

Der Star Wars-Film *Das Imperium schlägt zurück* heißt auf Luxemburgisch »Daat Imperium kneppelt zereck«.

Ameisen fallen immer nach rechts um, wenn sie vergiftet werden.

Der Markenname Chio ist aus den Initialen der Namen Carlo, Heinz und Irmgard von Opel zusamengesetzt.

Eine 1-Doller-Note hat die Maße 6,63 x 15,6 x 0,01 Zentimeter und ist ungefähr 0,850485 Gramm schwer.

Zwei Drittel der Menschen auf der Welt haben noch nie Schnee gesehen.

Beim Bau der A4-Raketen (V2-Rakete) im Zweiten Weltkrieg waren etwa um ein Drittel mehr Menschenleben zu beklagen als Opfer, die durch den Einsatz der Waffe selbst ums Leben kamen.

Deutscher Fußballmeister der Männer wurde 1941 SK Rapid Wien.

Am 21. Juli 1950 stürzte ein Elefant aus der Wuppertaler Schwebebahn. Er überlebte unverletzt.

> **Ein Pottwal gibt bei einem Orgasmus im Schnitt drei Liter Sperma von sich.**

Würde man jedes Feld eines Schachbretts exponentiell mit Weizenkörnern belegen, also auf das erste Feld ein Korn, auf das zweite Feld zwei, auf das dritte wiederum doppelt so viele, also vier, und so weiter, würde man insgesamt 18 446 744 073 709 551 615 Weizenkörner brauchen.

Die Spam-Mail verdankt ihre Bezeichnung dem Monty-Python-Sketch »Spam« (Spiced Ham, kurz Spam) aus dem Jahr 1970.

In Facebook müssen Statusmeldungen kürzer als 420 Zeichen sein.

Venedig trägt den Beinamen »Die Allerdurchlauchtigste«.

Das Gegenteil von Burn-out ist Bore-out. Dieses Syndrom kommt bei Langeweile am Arbeitsplatz vor.

Die Gesamtoberfläche der roten Blutkörperchen eines Menschen beträgt 3800 Quadratmeter.

Im letzten Jahr waren gerade mal 4 Prozent aller US-Amerikaner nicht bei McDonald's.

Rund sechs Stunden nach der königlichen Hochzeit in England hat der neun Jahre alte Wallach Royal Wedding auf der Rennbahn von Fontwell ein Hindernisrennen gewonnen und Englands Buchmachern Millionenverluste beschert.

Bei einer Raumtemperatur von 19,3 Grad Celsius benötigt ein Schnitt in einer Banane 06:34:02 Minuten, um vollständig zu verfaulen.

Wenn es den Weihnachtsmann wirklich gäbe, müsste er 5800 Kilometer pro Sekunde fliegen und hätte 34 Millisekunden für jeden Haushalt Zeit (inklusive Kaminklettern, Stiefelfüllen etc.), und das Ganze gegen die Erdrotation, damit sich alles ausgeht.

Fliegen schlagen pro Sekunde 200-mal mit den Flügeln.

Man sollte in Österreich eine Frau nicht zum Pudern auffordern, das ist ein anderes Wort für »ficken«.

Der Jetlag kann durch die Einnahme von Viagra vermindert werden, allerdings funktioniert dies nur bei Hamstern.

Ein Kirschblütenblatt fällt mit einer Geschwindigkeit von exakt 5 Zentimetern pro Sekunde.

Italienische Wissenschaftler haben gezeigt, dass Firmen deutlich effektiver arbeiten, wenn ihre Mitarbeiter vollkommen zufällig und nicht nach Leistung befördert werden.

Um eine ausgewachsene Kuh umzustoßen, sind je nach Berechnung zwischen drei und zehn Erwachsene nötig.

Das Eishockeystadion der Nashville Predators hieß von 1998 bis 2007 Gaylord Entertaiment Center.

Die Fidschi-Inseln heißen auf Fidschi »Matanitu Tu-Vaka-i-koya ko Viti«.

Im Französischen ist der Ausdruck für »Geldbeutel« und »Hodensack« gleich: la bourse.

Löffel sind gefährlicher als Haie. Laut Statistik sterben bis zu sechs Menschen durch einen Haiangriff im Jahr – an einem Löffel ersticken zehn.

Der George-Orwell-Plaza wurde als erster öffentlicher Ort in Barcelona 24 Stunden am Tag videoüberwacht.

In Thailand gibt es Pilze, die Ameisen befallen und aus deren Köpfen wachsen.

Die Quersumme aller Zahlen im Roulettekessel ergibt 666. Die Zahlen 5 und 10 sind genau gegenüber der Zahl 0. Und jede Hälfte von der 0 bis zur 5 und der 10 hat die Quersumme 333.

Torbogenreflex nennt man den Reflex eines Stieres, grundsätzlich alles zu bespringen, was die Silhouette eines Torbogens hat. Das wird damit erklärt, dass ein Torbogen in den Augen des Stieres dem Umriss einer Kuh ähnelt.

Das bekannte Geräusch der Lichtschwerter in den Filmen *Star Wars* war ursprünglich ein Tonfehler bei den Dreharbeiten des ersten Teils.

Im Bernabéu-Stadion von Real Madrid dürfen keine Lieder von Shakira gespielt werden.

Penisverletzungen, die durch die Masturbation mit Staubsaugern entstehen, heißen Morbus Kobold.

Bart Simpson, Howard Carpendale, Bruce Willis und Barack Obama sind alles Linkshänder.

Der sechshäufigste Grund, zu spät zur Arbeit zu kommen, ist Sex.

Es gibt in Nigeria eine Stadt namens Porno.

Laut Wissenschaftlern der Cambridge University handelt es sich bei dem 11. April 1954 um den ereignislosesten Tag des 20. Jahrhunderts.

Der Film *Das Leben des Brian* wurde in Schweden mit dem Slogan »Der Film, der so lustig ist, dass er in Norwegen verboten wurde« beworben.

Wenn man sich bei der Herzdruckmassage am Takt des Bee-Gees-Klassikers »Stayin' alive« orientiert, hat man den idealen Rhythmus für die CPR/Wiederbelebung.

> **Das uns bekannte Kopfsteinpflaster heißt in Belgien »Kinderköpf-chen«.**

Damit Spermien den Weg zur Eizelle finden, sendet diese den Duftstoff Bourgeonal aus. Dieser Stoff kann von den Spermien »gerochen« werden, und so finden sie sicher den Weg zur Eizelle.

Die vermeintlichen Euro-Kupfermünzen (1, 2 und 5 Cent) sind eigentlich aus Stahl, die 10-, 20- und 50-Cent-Münzen sind dagegen aus Kupfer.

Küken piepsen schon im Ei, bevor sie schlüpfen.

Der Entertainer und Moderator der Comedy-Quizsendung *Genial Daneben*, Hugo Egon Balder, heißt in Wahrheit Egon Hugo Balder.

In den USA gibt es ein Heiratsvermittlungsbüro für einsame Katzen und Hunde.

Steht man auf dem Dach des Stadions in Bochum, kann man im Westen die Arena auf Schalke erkennen.

Chop Suey ist eine amerikanische Erfindung, Ketchup eine chinesische.

Die Bruthöhle von Borkenkäfern heißt in der Fachsprache »Rammelkam-mer«.

Hätte man etwa im Jahr 1300 einen Euro auf ein Konto einbezahlt, wären heute gut 900 Millionen Euro darauf.

Neu entdeckte Spinnen werden manchmal nach berühmten Persönlichkeiten benannt. Die Falltürspinne trägt zum Beispiel den Namen Myrmekia-phila neilyoungi – zu Ehren des Rockstars Neil Young.

Auf einem Auto-Lenkrad befinden sich neunmal mehr Bazillen als auf einem WC-Deckel einer öffentlichen Toilette.

Der Papst hat keine eigene Brieftasche, geschweige denn ein Gehaltskonto.

Einer der Produzenten des ersten James-Bond-Filmes heißt Broccoli.

Die Yakult-Flaschen haben in 31 von 32 Ländern dieselbe Form, nur in Malaysia nicht, weil dort eine Kopie von Yakult zuerst auf dem Markt war.

In Lübeck gibt es eine Straße namens Fegefeuer.

Wenn man auf dem Taschenrechner die Zahl 735 317 eingibt und ihn umdreht, liest man das Wort »Liesel«. Geteilt durch 103 ist das »geil«.

Bud Spencer (bürgerlich Carlo Pedersoli) nahm als Schwimmer 1952 und 1956 an den Olympischen Spielen in Helsinki und Melbourne teil. In der Disziplin 100-Meter-Freistil wurde er außerdem sieben Jahre in Folge italienischer Meister.

Die Bewohner Borneos nennen die dort heimischen Nasenaffen Kera Bellanda – »Holländeraffen«, weil sie meinen, die großen roten Nasen ähneln denen sonnenverbrannter Europäer (und vielleicht tun die »Bierbäuche« der Affen ihr Übriges).

Nach Berechnungen des US-Unternehmens Ellacoya Networks ist YouTube verantwortlich für 10 Prozent des gesamten Internet-Datenverkehrs.

Eine Reißzwecke fällt mit 60 Prozent Wahrscheinlichkeit auf den Kopf und zu 40 Prozent auf die Seite.

Kängurus können nicht rückwärts laufen.

1896 wurde festgelegt, dass ein Fußballfeld in Deutschland baumfrei sein muss.

ES werden jaehrlich mehr
Menschen durch herabfallende
KOKOSNUESSE getoetet
als durch Haiangriffe.

6.831 Likes, 504 Kommentare

Das letzte europäische Land mit Hammer und Sichel in Staatswappen und Staatsflagge ist Österreich.

Die im Tierreich am häufigsten gewählte Verteidigungsart ist die Flucht.

In Australien ist Sex mit einem Känguru nur dann erlaubt, wenn man betrunken ist.

Der Microsoft-Jingle wurde von Brian Peter George St. John le Baptiste de la Salle Eno auf einem Mac komponiert.

Der australische Forscher Karl Kruszelnicki führte im Jahr 2001 Untersuchungen über die Entstehung von Bauchnabelfusseln durch und erhielt dafür den Ig-Nobelpreis.

Die tiefste Stelle in der Bauchhöhle einer stehenden Frau nennt sich Douglas-Raum. Beim Mann heißt diese Stelle Proust-Raum.

Im Vaterunser kommt kein einziges Mal der Buchstabe P vor.

Schon mal den Satz »Regal mit Sirup pur ist im Lager« rückwärts gelesen?

Benkinersophobie ist die Angst, mit elf Jahren keinen Brief aus Hogwarts zu erhalten.

Die Abkürzung Inbus steht für »Innensechskantschlüssel Bauer und Schaurte«.

Für die Figur Aladdin von Disney orientierten sich die Zeichner an dem damals noch jungen Tom Cruise.

Am ersten Verkaufstag von Tiffany & Co. im Jahr 1837 betrug der Umsatz 4 Dollar und 98 Cents.

> **Der lateinische Name der Sri-Lanka-Kobra lautet Naja naja.**

Ein Telefon tutet immer den Ton A. Praktisch, um Gitarren zu stimmen.

Zehennägel wachsen beim Menschen viermal langsamer als Fingernägel.

Der Alkoholgehalt von Apfelsaft liegt zwischen 0,1 und 0,4 Volumenprozent.

Die Stofftragetaschen für den Schönfelder (Gesetzessammlung deutscher Gesetze) werden im Gefängnis genäht.

Das Handzeichen für »Sieg« (victory) entstand dadurch, dass den Bogenschützen einst, nachdem sie besiegt waren, Zeige- und Mittelfinger abgeschnitten wurden. Daher kamen die Männer mit erhobenem Arm und ausgestrecktem Zeige- und Mittelfinger zurück, um zu zeigen, dass sie gewonnen hatten und noch all ihre Finger besaßen.

Die größte Anzahl Kinder einer einzelnen Frau sind 69 (in 27 Schwangerschaften). Der Mann mit den meisten Kindern hatte 888 Nachkommen (Harem).

Schalke-Urgestein Rudi Assauer ist seit 40 Jahren Mitglied bei Borussia Dortmund.

Als Tee das erste Mal nach Amerika kam, servierten die Frauen die Teeblätter mit Zucker oder Sirup und schütteten das Wasser, in dem sie gekocht worden waren, weg.

Ein Mensch müsste an jeder Stelle seines Körpers 1,20 Meter Fett haben, um kugelsicher zu sein.

Wie Menschen kommunizieren auch Affen per Babysprache mit ihrem Nachwuchs. Bei einer Gruppe von Rhesusaffen bemerkten Forscher, wie diese die Tonart veränderten, wenn sie sich jungen Äffchen zuwandten.

Wollte man alle Daten, die derzeit weltweit elektronisch archiviert sind, auf iPads speichern, bräuchte man nicht weniger als 75 Milliarden Geräte. Mit ihnen wiederum könnte man das Londoner Wembley-Stadion 41-mal bis zum Rand füllen.

In einem menschlichen Körper leben rund 100 Billionen Bakterien. Das sind zehnmal mehr, als der Körper eigene Zellen besitzt (10 Billionen).

Die Formel für Fotogenität lautet wie folgt: Schönheit + Anmut + das gewisse Etwas + Kamerarealität = Fotogenität.

2004 wurden bei Arbeitsunfällen im chinesischen Perlflussdelta 40 000 Finger abgetrennt.

Raben gehören zu der Familie der Singvögel.

Der vermutlich erdnäheste potenziell Leben tragende Exoplanet Gliese 581 c ist etwa 20,5 Lichtjahre (rund 190 Billionen Kilometer) von der Erde entfernt.

Man braucht genau 1 Minute und 36 Sekunden, um die längste Rolltreppe im Frankfurter »MyZeil« zu fahren.

Allgemein wird behauptet, dass das deutsche Wort »Angstschweiß« die meisten Konsonanten in Folge hat. »Marschrhythmus« hat sogar zehn.

Indien war im Jahr 1950 für die Fußballweltmeisterschaft in Brasilien qualifiziert, sagte jedoch die Teilnahme ab, da die Spieler nicht barfuß spielen durften.

In der Ukraine gibt es eine Feministinnengruppe namens Femen, die gerne mit freiem Oberkörper protestiert.

Um alte Gäule vor dem Verkauf aufzuhübschen, mischten Pferdehändler früher gerne ein wenig Arsen in ihr Wasser. Das Fell wurde so glänzender und die Augen feuriger.

Das deutsche Wort »Kekse« wurde erst 1911 als Übersetzung aus dem Englischen (cakes) ins Wörterbuch aufgenommen, da es von Bahlsen für seine Plätzchenprodukte verwendet wurde und seinen Platz im deutschen Sprachgebrauch fand.

Bis das radioaktive Plutonium zu stabilem Blei geworden ist, vergeht 1 Milliarde Jahre.

Die Angst vor der Farbe oder dem Wort »Gelb« nennt sich Xanthophobie.

Durch das Rasieren der Beine und den dadurch gesenkten Widerstand spart ein Radprofi auf 10 Kilometer 1 Sekunde Zeit ein.

Der weibliche Partner einer Konkubinatsbeziehung heißt Konkubine; 1 männliche Form dieses Wortes existiert nicht.

In Großbritannien wird laut einer Studie am Donnerstag am meisten gestritten.

Von Schmusen nach Blasen sind es laut Google Maps genau 554,6 Kilometer.

Beim Huichol-Stamm in Mexiko wird dem Vater während der Geburt ein Seil um den Hoden gebunden. Daran darf die Frau ziehen, wenn der Wehenschmerz auf dem Höhepunkt ist.

Die Qualle *Turritopsis nutricula* ist der einzige bekannte Organismus, der die Fähigkeit hat, seinen Lebenszyklus endlos zu durchlaufen. Somit erfährt sie eine konstante Verjüngungskur und ist theoretisch unsterblich.

»Mein Haus ist grün« klingt auf Saarländisch genauso wie auf Englisch (»Mei Haus iss grien« oder »My house is green«).

Der schwedische Autohersteller Volvo hat seinen Namen von dem lateinischen »ich rolle« abgeleitet.

Der 2001 entdeckte Dinosaurier Masiakasaurus knopfleri wurde von seinem Entdecker, Scott Sampson, nach Mark Knopfler, Sänger und Gittarist der Dire Straits benannt, weil dieser ein großer Fan der Band ist.

In Finnland findet sich insbesondere auf Chipstüten die Aufschrift »Megapussi«. Das bedeutet soviel wie »große Tüte«.

Vin Diesel (*The Fast and the Furious*) und Patrick Star (aus *SpongeBob Schwammkopf*) haben denselben deutschen Synchronsprecher (Marco Kröger).

Das Geräusch, das beim Zerdrücken von Wackelpudding entsteht, wurde als Fußstapfen bei *E.T.* verwendet.

Die Glühlampen des New Yorker U-Bahn-Systems werden im Uhrzeigersinn eingeschraubt und entgegen dem Uhrzeigersinn herausgedreht, also genau umgekehrt als üblich. Daher kann sie niemand sonst verwenden, sodass sie nicht geklaut werden.

Im menschlichen Nacken befinden sich noch heute Muskeln, die zwar ungeübt sind und keine Wirkung mehr haben, einst jedoch dazu dienten, die Ohren zu bewegen.

Manganknollen, die in Tiefen von 4000 bis 6000 Metern auf dem Meeresboden zu finden sind, wachsen extrem langsam – etwa 5 Millimeter in 1 Million Jahre.

Wissenschaftler aus den USA haben herausgefunden, dass Oralsex und nicht etwa Rauchen die häufigste Ursache für Kehlkopfkrebs ist.

Delfine sind die einzigen Tiere, die über das Atmen bewusst nachdenken müssen, da es bei ihnen nicht unbewusst gesteuert wird.

Prinz Harry von Wales heißt eigentlich Prinz Henry. Harry ist sein Spitzname.

Bei der Einfuhr von Kokain nach Deutschland werden 19 Prozent Einfuhrumsatzsteuer fällig.

Der Ton, der von den meisten amerikanischen Autohupen gehupt wird, ist ein F.

Ein durchschnittliches Containerschiff mit einer Länge von etwa 160 Metern und einer Bruttotragfähigkeit von circa 23 000 Tonnen verbraucht pro Tag bei einer Geschwindigkeit von etwa 13 Knoten 23 500 Liter Treibstoff.

In Tokio gibt es durchschnittlich jeden vierten Tag ein Erbeben.

Das Wort »Karaoke« kommt aus dem Japanischen (kara = leer, oke = Orchester) und bedeutet quasi »leeres Orchester«.

Traurige Filme im Flugzeug sollen künftig mit Warnhinweisen gekennzeichnet werden, da die Passagiere aufgrund des Fluges emotionaler reagieren als gewöhnlich.

Die erste Person, die eine Befahrung der Niagarafälle überlebte, war am 23. Oktober 1901 die 63-jährige Lehrerin Annie Taylor. Sie war in einem Holzfass unterwegs.

Im deutschen Bürokratensprech wird ein Baum zu einem flächenbedeckenden Großgrün.

»Baum« heißt auf Lettisch »koks«.

Ein 30-Sekunden-Werbespot beim Super-Bowl 2011 kostete 3 Millionen Dollar.

In Siena ist es allen Frauen mit dem Vornamen Maria verboten, als Prostituierte zu arbeiten.

Wenn man sich vertippt und www.weter.de eingibt, kommt man auf eine Seite mit dem Verweis: »Hier entsteht demnächst das große deutsche Legasthenikerportal.«

Das vom Menschen produzierte Verdauungsgas Methan hat einen höheren Brennwert als Benzin oder Wasserstoff.

Die Pariser Metro war die erste U-Bahn der Welt, in der gummibereifte Fahrzeuge eingesetzt wurden.

Der Saturn ist zwar der zweitgrößte Planet, hat aber eine so geringe Dichte, dass er theoretisch auf Wasser schwimmen würde.

Das rumänische Wort für Muskel ist »muschi«.

Die meisten Lippenstifte enthielten früher Fischschuppen.

In den USA werden jährlich in der Weihnachtszeit etwa 20 Milliarden Briefe und Päckchen verschickt.

»Stewardesses« ist das längste englische Wort, das nur mit der linken Hand (im Zehnfingersystem) getippt wird.

Chronisches Aufschieben wird in Fachkreisen »Prokrastination« genannt.

Die Chance, von einem Hai angegriffen zu werden, steht 1 : 30 000 000.

Hellenologophobie ist die Angst vor griechischen (Fach-)Ausdrücken.

NHL-Profis verlieren im Schnitt fünf Zähne pro Saison.

Der photische Niesreflex führt dazu, dass jeder vierte Mensch niest, wenn er in die Sonne blickt. Weshalb dies so ist, wurde noch nicht geklärt.

Einige Löwen paaren sich bis zu 50-mal am Tag.

1985 stießen in der Innenstadt von Bitterfeld zwei Trabis zusammen. Es gab zwei Tote und 53 Verletzte. Die Toten waren die Fahrer. Der Rest hat sich um die Ersatzteile geprügelt.

Die letzte Zeile eines Absatzes am Anfang einer Seite nennt der Setzer Hurenkind, die erste Zeile eines Absatzes am Ende einer Seite heißt Schusterjunge.

Buzz Aldrin war der erste Mensch, der auf dem Mond Stuhlgang hatte.

Die Biene Maja ist von ihrer Körperfarbe her eigentlich eine Wespe.

Gurken und Tomaten gehören zur Pflanzengattung Beeren.

Die Vornamen von Herbert Grönemeyer lauten Herbert Arthur Wiglev Clamor.

Bis zum Horizont sind es (bei freier Sicht) 4650 Meter.

Die Äquivalenz von Masse und Energie ($e = mc^2$) führt dazu, dass die Sonne allein durch ihr abgestrahltes Licht (Leuchtkraft ca. $3,8*10ffi26$ W) in jeder Sekunde rund 4 Millionen Tonnen Masse verliert. Verglichen mit der Sonnenmasse von rund $2*10ffi30$ Kilogramm ist das wenig.

George Washington hat in seinem Garten Marihuana angebaut.

An manchen Häusern in norditalienischen Städten sind abgeschrägte Steinplatten in etwa ein Meter Höhe angebracht, welche als »Pinkelsteine« dienen. Durch die Schräge spritzt das gelbe Nass auf den Missetäter zurück, und zwar so arg, dass derjenige dies sicher kein zweites Mal versucht.

Der momentane turkmenische Staatschef Gurbanguly Berdimuhamedow war der Zahnarzt des letzten Präsidenten Saparmyrat Nyýazow.

Der Bankautomat hatte seine Deutschlandpremiere in einer Sparkasse in Tübingen.

Die tödliche Dosis von Red Bull liegt bei 31,25 Litern.

In Irland wird in Krankenhäusern Guinness als Medizin verabreicht. Grund hierfür ist die abführende Wirkung.

Waldhonig besteht unter anderem aus dem Kot von Blattläusen.

Im Logo von Alfa Romeo frisst eine Schlange ein Kind.

Um eine einzige Episode der Simpsons herzustellen, brauchen 300 Leute ungefähr acht Monate.

Mike Tyson verbrachte mehr Zeit mit seinen Tauben als in der Schule. Und es waren auch seine gefiederten Freunde, die ihn zum Boxer werden ließen. »Ich hatte noch nie jemandem wehgetan, bis einer meiner Vögel verletzt wurde.«

Ein Türstopper oder Türpuffer, der in Höhe des Griffes an einer Wand aufgeklebt ist, heißt Bummsinchen.

Zuckerwatte heißt in Griechenland μαλλη τις γριας (malli tis grias) und bedeutet ins Deutsche übersetzt »Haare der alten Frau«.

Der amerikanische Autor Morgan Robertson (1851–1915) schrieb 1898 einen Roman über eine Liebesgeschichte auf einem Schiff namens Titan, welches im Nordatlantik nach einem Zusammenstoß mit einem Eisberg sank – 14 Jahre bevor die Titanic im Nordatlantik versank.

Mark Twain wurde geboren, nachdem der Halley'sche Komet sichtbar geworden war (seit 16. November 1835), und starb – fast auf den Tag genau, wie von ihm erhofft – einen Tag nach dessen Wiederkunft.

Jakob Maria Mierscheid ist ein fiktiver Politiker, der seit 1979 im Deutschen Bundestag sitzt.

Würde man alle Bakterien dieser Welt zusammennehmen und abwiegen, dann wären diese deutlich schwerer als alle Menschen, Tiere und Pflanzen zusammen.

Den Weltrekord im Hula-Hoop-Kreisen mit den meisten Reifen hält Paul Blair, der 132 Reifen kreisen ließ.

Ursprünglich verkaufte die Firma Nintendo Spielkarten und versuchte sich zwischenzeitlich auch an dem Verkauf von Instant-Reis und der Gründung eines Taxiunternehmens.

Das französische Wort für Tischfußball ist »baby-foot«.

Die Frau von Arnold Schwarzenegger hat im Jahr 2000 ein Buch mit dem Titel *Wenn ich das vorher gewusst hätte* geschrieben.

Robert De Niro und Al Pacino haben keine Szene des Films *Heat* wirklich zusammen gespielt. Es waren immer Bodydoubles.

Bei einem Mercedes S 500 wird bei 250 km/h jeder Reifen mit nur noch 9 Kilogramm auf die Straße gedrückt. Das bedeutet, dass der Wagen die Straße mit nur 36 Kilogramm Gesamtgewicht passiert.

Der Vorläufer des heutigen Teebeutels wurde 1904 oder 1908 versehentlich von dem US-amerikanischen Teehändler Thomas Sullivan erfunden, und zwar um das Gewichtsproblem beim Versand von Teeproben zu lösen. Sie wurden damals in großen und teuren Blechdosen verschickt.

  31

Als Arschfax bezeichnet man das kleine weiße Etikett, wenn es aus der Unterhose heraushängt.

Der in Australien lebende Prachtkäfer begattet häufig Bierflaschen. Grund: In der Sonne schimmert die Bierflasche wie der Rückenpanzer eines Weibchens.

In der Zeit von 1770 bis 1784 war ein gewisser Fatafehi Paulah der König von Tonga. Er behielt sich das Recht vor, jede Frau in seinem Königreich persönlich zu entjungfern. Täglich hatte er zwischen acht und zehn Damen.

In Australien gibt es eine Stadt, die »1770« heißt, benannt nach dem Jahr, in dem Captain Cook in Queensland gelandet ist.

Eine der möglichen Nebenwirkungen von Aspirin sind laut Packungsbeilage Kopfschmerzen.

Jesus wird im Koran öfter erwähnt als Mohammed.

In Hitchcocks *Die Vögel* ist keine einzige natürliche Vogelstimme zu hören. Der Film kommt auch komplett ohne Filmmusik aus.

Während der Ausschreitungen in London 2011 stieg die Anzahl der über Amazon.co.uk verkauften Baseballschläger um 5000 Prozent an. Die Anzahl verkaufter Kapuzenpullover in Schwarz stieg um rund 200 Prozent.

Im Urwald werden mehr Menschen von umfallenden Bäumen und herabfallenden Ästen getötet als von Tieren.

Schon bei der Geburt ist ein Blauwalkalb 7 Meter lang und bis zu 2,5 Tonnen schwer. Es trinkt jeden Tag etwa 600 Liter Muttermilch.

Beim schwarzen Panther handelt es sich nicht um eine eigene Tierart, sondern lediglich um Jaguare und Leoparden, die einen Melanismus aufweisen.

Für das siebente Kind einer Familie kann ein Antrag auf Ehrenpatenschaft vom Bundespräsidenten gestellt werden.

Menschen, die dem Element Tellur ausgesetzt waren, kriegen davon nach Knoblauch riechenden Mundgeruch.

Am 5. Mai ist internationaler Tag der Handhygiene.

Jeder Atemzug eines Menschen enthält durchschnittlich ein Molekül des letzten Atemzugs von Julius Caesar.

Xylophobie ist die die Angst vor Holz und Wäldern.

Der After des Zitteraals liegt an seiner Kehle.

Als medizinisch erwiesene Therapieformen gegen Schluckauf zählen, im Gegensatz zu den volkstümlichen Methoden wie z. B. Erschrecken, der Konsum von Cannabis, Orgasmen, rektale Massagen per Finger oder nasale Anwendungen von Essig.

Ein Martini, in dem sich statt einer Olive eine Perlzwiebel befindet, heißt Gibson.

Jährlich am 19. November lassen sich die Toiletten im Rahmen des Welttoilettentages hochleben.

Um einen Streit zwischen seiner Frau und einer Mätresse zu schlichten, schickte Ludwig XIV. zunächst seinen Kriegsminister.

Die Firma Google hat ihren Namen von der Zahl Googol abgeleitet. Googol ist eine Bezeichnung für die Zahl 10 hoch 100. In Anlehnung an den Googolplex (die Zahl 10 hoch Googol) lautet der Name des Firmenhauptsitzes Googleplex.

Im italienischen Calcata wurde bis 1983 die heilige Vorhaut Jesu Christi verehrt. Dann wurde sie gestohlen.

»Problembär« Bruno, der im Jahr 2006 nach Bayern wanderte und dort nach mehrwöchiger Jagd erschossen wurde, erhielt bei der Geburt als erstes Kind seiner Eltern Joze und Jurka den Namen JJ1.

Der US-amerikanische Autor Alex F. Osborn gilt als Erfinder des Brainstormings.

Der Gründer der Automarke Audi heißt Horch und hat seine Firma nach dem lateinischen Imperativ von »hören/horchen« (audire, Imp.: audi) benannt.

Ein Elektron ist keine perfekte Kugel, denn es weicht um 0,0000000000000000000000000001 Zentimeter von einer ab. Hätte ein Elektron die Größe des Sonnensystems, würde es bis auf eine Haaresbreite perfekt rund sein.

Das Wort »Muggel«, das in *Harry-Potter*-Filmen die Nichtmagier bezeichnet, steht sogar im deutschen Duden.

In der spanischen synchronisierten Version von *Terminator 2* wird der Satz »Hasta la vista, baby!« durch »Sayonara, baby!« ersetzt.

»Tussis« ist der lateinische Begriff für Husten.

Das Bundesumweltministerium gab für 180 000 Euro eine Studie zum Thema Gender Greenstreaming in Auftrag, die unter anderem feststellte, dass es geschlechtspolitisch sinnvoll wäre, wenn es »Motorsägenkurse für Frauen« gäbe.

Die erste typische Geisterbahn entstand 1933 im Wiener Prater. Sie trug den Namen »Geisterschloss« und wurde von Friedrich Holzdorfer auf Parzelle 96 errichtet.

Im Durchschnitt wurde jeder Liter Süßwasser schon dreimal von einem Lebewesen getrunken.

Pinguine geben die gleichen Töne von sich wie ein Esel (I-A).

In altem Norddeutsch bedeutet das Wort »Macker« »kastrierter Esel«.

Leonardo da Vinci malte zehn Jahre an Mona Lisas Lippen.

Akazienhonig hat eigentlich nichts mit Akazien zu tun, sondern wird aus den Blüten der Robinie gewonnen.

Für einen Amateurgolfer steht die Chance 1 : 12.500, ein Hole-in-One zu schlagen

---

Thomas Edison, Erfinder der Glühbirne, hatte Angst im Dunkeln.

Das 1978 erschienene Album »Bush Doctor« von Peter Tosh sorgte für negatives Aufsehen, weil der Albumname mit den Blättern der Marihuanapflanze wiedergegeben war.

Die Sängerin Lauryn Hill ist mit Rohan Marley, einem Sohn des verstorbenen Reggae-Musikers Bob Marley, verheiratet.

38 Prozent aller Vietnamesen heißen Nguyễn mit Nachnamen. Der Grund für die weite Verbreitung dieses Familiennamens ist eine kaiserliche Verordnung aus der Zeit der Nguyễn-Dynastie, die besagte, dass alle den Namen des Kaisers tragen sollen.

Der erste Crashtest-Dummy hieß Sierra Sam.

Dumbledore bedeutet im Frühneuenglischen »Hummel«. Wie Joanne K. Rowling erklärte, lässt sich der Name darauf zurückführen, dass sie sich Dumbledore zumeist herumlaufend und vor sich hinsummend vorstellte.

In Oprah Winfreys allerletzter Show kostete ein 30-sekündiger Werbespot 1 Million Dollar.

Wenn man einem Huhn den Kopf abschlägt, läuft es erst noch ein paar Minuten herum, da das Nervenzentrum im Rückenmark liegt.

In den USA wurde die schwangere Barbie vom Markt genommen, weil sie keinen Ehering trug.

Südkorea führte am 24. Juli 2011 die chemische Kastration bei Sextätern als Strafe ein.

Kokain wurde in der Vergangenheit dazu benutzt, Morphinabhängigkeit zu behandeln.

2,95 Prozent der österreichischen Bevölkerung haben (mindestens) einen Vogel (Quelle: MediaAnalyse 2010, gilt für die österreichische Bevölkerung ab 14 Jahren).

Der Durchmesser unserer Galaxie (Milchstraße) beträgt 100 000 Lichtjahre.

Wenn man bei Google »answer to life, the universe and everything« (ohne Anführungszeichen) eingibt, schaltet sich die Taschenrechnerfunktion ein und errechnet die 42.

Das Ortsschild von Deppenhausen ist das meistgeklaute Ortsschild Süddeutschlands.

Die Löcher in den Buchstaben a, b, d, o etc. heißen Punzen.

In den Jahren von 1970 bis 1985 publizierte der Verlag den Playboy auch in Brailleschrift.

> **Der Weiße Hai** hat den Begriff »Blockbuster« geprägt. Bei diesem Film bildeten sich rund um die Kinos so lange Menschenschlangen, dass sie um ganze Häuserblocks reichten.

Cappuccino heißt so, weil er an die Farbe der Kleidung von Kapuzinermönchen erinnert.

Der Name Wikipedia ist ein Kofferwort, das sich aus »wiki« (hawaiisch für »schnell«) und »encyclopedia« (dem englischen Wort für Enzyklopädie) zusammensetzt.

Käse beugt Karies vor.

1926 kam es zur Fusion der Unternehmen Daimler und Benz, doch haben sich die Namensgeber niemals persönlich kennengelernt.

In Belgien gibt es eine Provinz namens Drogenbos.

Sieben Kostümbildner waren nötig, um Meryl Streep in den weißen Spandex-Overall zu bekommen, den sie im Finale von *Mamma Mia* (2008) trägt.

Die Ausdrücke »blau sein« und »blaumachen« kommen daher, dass früher für das Herstellen von blauer Farbe für Textilien sehr viel Harnstoff gebraucht wurde. Deshalb mussten die Männer jede Menge Bier trinken, waren schließlich »blau« und mussten am nächsten Tag daheim bleiben.

Giraffen halten ihren Hals in einem Winkel von 55 Grad.

Mon Chéri wird wegen der großen Hitzeempfindlichkeit nicht im Sommer verkauft.

Angehörige des Massai-Stamms in Kenia begrüßen sich durch Spucken.

Eine Herrschaft durch Sklaven nennt sich Doulokratie.

Johnny Depp und die Queen sind Cousin und Cousine 20. Grades.

§ 962 BGB (Verfolgungsrecht des Eigentümers): Der Eigentümer des Bienenschwarms darf bei der Verfolgung fremde Grundstücke betreten.

Der Begriff »Jeans« leitet sich von der italienischen Stadt Genua ab. Aus der französischen Form des Städtenamens »Gênes« machte die amerikanische Umgangssprache den Begriff »Jeans«.

Warmes Wasser löscht schneller als kaltes Wasser. Feuer wird gelöscht, indem sich Wasserdampf um das brennende Material legt und die Sauerstoffzufuhr abschneidet. Da warmes Wasser näher am Verdampfungspunkt liegt, löscht es schneller.

Das krebserregende Protein Zbtb7 wird auch Pokemon genannt.

Die Heteropoda davidbowie ist eine seltene gelbe Spinne und tatsächlich nach David Bowie benannt.

In Afghanistan gilt die Straßenverkehrsordnung der DDR.

Seifenblasen halten länger, wenn man Zigarettenrauch hineinbläst, statt einfach nur hineinzupusten.

Bier ist umweltfreundlicher als Milch. Ein Liter verursacht 460 Gramm CO_2, Milch hingegen 950 Gramm.

Die Amerikaner feiern Thanksgiving nicht der Ernte wegen, sondern der Indianer wegen, die den Pilgervätern gezeigt haben, wie man die Neue Welt bewirtschaftet, und sie mit Lebensmitteln versorgt haben.

Für Perlen gibt es 40 000 Bewertungskriterien.

Miranda aus *Sex And The City* hat eine Katze, die Fetti heißt.

Amateure beim Kartfahren beugen sich in der Kurve nach innen wie ein Motorradfahrer, mit vier Rädern ist aber das Gegenteil sinnvoll. Kart-Profis nennen das Biker-Syndrom.

»Einachsiger Dreiseitenkipper« ist der amtsdeutsche Begriff für eine Schubkarre.

Jedes fünfte Pferd in England ist übergewichtig.

Zwei Drittel der Deutschen glauben an die Existenz von Engeln, während nur noch 64 Prozent der Befragten an Gott glauben.

Das hebräische Wort für Ehemann »ba'al« (בעל) bedeutet auch »Besitzer«.

Schimpansen sind dem Menschen näher verwandt als dem Gorilla: Untersuchungen zeigen, dass sich die Erbinformation von Schimpansen und Menschen nur in 1,6 Prozent unterscheidet, die Position der Aminosäuren sogar nur in 0,4 Prozent.

Beim Anblick der Person, zu der ein Mensch sich hingezogen fühlt, werden die Pupillen größer.

Deutsche Forscher der Heinrich-Heine-Universität in Düsseldorf haben die Asterix-Comics genauer unter die Lupe genommen und festgestellt, dass die Raufereien der Gallier für über 700 traumatische Hirnschädigungen gesorgt hätten.

Marokko stellte 1987 einen Beitrittsantrag an die EU.

Der Körper der meisten Chamäleons misst nur die Hälfte ihrer Zungenlänge.

Ein Plutojahr dauert 248 Erdenjahre.

Der Komponist Jean-Baptiste Lully starb an Wundbrand, weil er sich seinen Taktstock in den Fuß stach.

Würde man in einem Zug sitzen, der sieben Tage fast mit Lichtgeschwindigkeit die Erde umkreist, dann würden für die Menschen außerhalb des Zuges 100 Jahre vergehen.

Der (inzwischen verstorbene) amerikanische Schauspieler Paul Newman hat 1984 im Alter von 60 Jahren zum dritten Mal die amerikanische Sportwagen-Meisterschaft gewonnen, dabei fuhr er einen Nissan 300 ZX Turbo.

Vanillin (4-Hydroxy-3-methoxybenzaldehyd), der Ersatzstoff für echte Vanille, wird aus Tannenbäumen gewonnen.

Das Gedächtnis eines Goldfischs reicht nur drei Sekunden zurück.

Im Laufe eines 60-jährigen Lebens hat ein Mann insgesamt fünf Jahre lang eine Erektion, während er schläft.

Rund 2800 Geschlechtsakte finden in jeder Sekunde weltweit statt, sagt die Statistik.

Fix und Foxi sind beide männlich, fahren aber mit knallpinken Fahrrädern.

Man kann nicht mehr als eine Scheibe trockenes, ungetoastetes Toastbrot in einer Minute essen.

Als Gewinnerzahl der Abendziehung der dreistelligen New Yorker Zahlenlotterie wurde am 11. Septemberr 2002 die 911 gezogen.

Ein kariertes DIN-A4-Blatt hat 2478 Kästchen (wenn es ungelocht ist und man die halben Kästchen zusammenzählt).

kuehe haben beste Freunde innerhalb der Herden. **Trennt** man sie **voneinander,** erhoeht **sich** ihr **Stresspegel.**

Isotonische Getränke haben den gleichen osmotischen Druck wie das menschliche Blut.

Der Boxer Muhammad Ali hat während eines Kampfes seine Linke auf 900 km/h beschleunigt.

Die vier Triebwerke eines Airbus A380 saugen 1,55 Tonnen Luft pro Sekunde ein.

Wenn die Bevölkerung Chinas in einer Reihe an einem vorbeigehen würde, würde die Reihe aufgrund der hohen Geburtenrate niemals enden.

> **Geophagie bezeichnet die durch Eisenmangel verursachte Lust, Erde zu essen.**

An der rostenden Hülle des Ozeanriesen Titanic in 3800 Metern Tiefe entdeckten Forscher ein Bakterium, das sie nach dem verunglückten Schiff benannten – Halomonas titanicae. Das Bakterium baut Rost ab.

Der Mitesser heißt so, weil die Menschen im Mittelalter dachten, dass die Mitesser kleine Tiere seien, die von der Haut essen.

Eine Flasche Ketchup beinhaltet den Zuckergehalt von 40 Würfeln Zucker.

Johann Sebastian Bach hatte 20 Kinder – sieben mit seiner ersten und 13 mit seiner zweiten Frau.

DJ Bobo hat es – nach eigener Aussage – im ganzen asiatischen Raum nicht geschafft, erfolgreich zu werden, weil »Bobo« dort in vielen Sprachen ein Wort für das weibliche Geschlechtsteil ist.

R. Kelly, der Songwriter von »I believe I can fly«, hat Flugangst.

Während die Zahnpasta Colgate in Deutschland deutsch ausgesprochen wird, spricht man sie in Österreich englisch aus.

In ihrem Plattenvertrag verlangten Theo Hutchcraft und Adam Anderson einen Kamm und einen Regenschirm. Hierfür gab es keinen bestimmten Grund, sie wollten lediglich herausfinden, ob sie diese Gegenstände auch bekommen würden.

Im Video zu *Telephone* von Lady Gaga wird das Rezept für einen Gifttrank eingeblendet.

Schreibt man in Microsoft Word »=rand(26,6)« (ohne Anführungszeichen) und bestätigt dies mit der Enter-Taste, erhält man einen Text. Dieser besteht aus 26 Absätzen mit je 6 Sätzen. Die Funktion »rand()« ist undokumentiert und wurde von Microsoft zum Testen eingebaut.

Die Abkürzung KiK des gleichnamigen Textildiscounters steht für »Kunde ist König«.

Für die Produktion von einem Kilogramm Reis werden durchschnittlich 3000 bis 5000 Liter fließendes Wasser benötigt.

Der letzte Mensch, dessen Muttersprache Manx war (Isle of Man, Schottland) war Ned Maddrell (* um 1877, † 27. Dezember 1974).

Ein Schinken-Käse-Toast heißt auf Französisch »un croque-monsieur«, was wörtlich übersetzt »ein geknackter Herr« bedeutet.

Jeder Mensch auf der Welt besitzt im Durchschnitt 75 Legosteine.

Ziona Chana aus Indien hat 39 Frauen, mit denen er 94 Kinder gezeugt hat. Außerdem hat er 14 Schwiegertöchter und 33 Enkelkinder. Damit hat er die größte Familie der Welt.

Der älteste Goldfisch wurde 41 Jahre alt und hieß Fred.

Die Studien einiger Traumforscher legen nahe, dass das Schwarz-Weiß-Bild zu Beginn des Fernsehzeitalters zu Schwarz-Weiß-Träumen führte.

Bei Kämpfen der männlichen Galapagos-Riesenschildkröten siegt derjenige, der den Hals am höchsten strecken kann.

Der Zahnstocher gehört zu den gefährlichsten Waffen der Menschen. Er entwickelt sich zu einer echten Bedrohung für ihn, denn jährlich kommt es zu über 8800 Verletzungen.

Wolfgang Amadeus Mozart litt angeblich am Tourette-Syndrom.

Unser Körper ist im Schnitt nur sieben bis zehn Jahre alt, weil sich die Zellen regelmäßig erneuern.

Die Flucht aus dem Gefängnis ist straffrei, da das menschliche Streben nach Freiheit laut Gesetz nicht bestraft werden kann. Nur wer dabei Gewalt anwendet, Wärter besticht oder an einer Meuterei teilnimmt, kann deswegen zur Rechenschaft gezogen werden.

Bei der sogenannten Buchstaben-Amnesie vergessen Personen im asiatischen Raum, wie man einige Schriftzeichen per Hand schreibt, da sie zu viel per Tastatur oder Handy schreiben.

Der Vatikanstaat hat die höchste Kriminalitätsrate der Welt (Relation Straftaten/Einwohner).

Mädchen aus Familien mit hohem Einkommen bekommen im Schnitt ihre erste Menstruation sechs bis 18 Monate vor Mädchen, die finanziell eher schlecht gestellt sind.

Alle Uhren im Film *Pulp Fiction* von Quentin Tarantino stehen auf 4.20 Uhr.

Der heilige Servatius von Tongern wird bei Fußleiden, Frostschäden und Rattenplagen angerufen.

Die Rußseeschwalbe kann im Fliegen schlafen.

Udo Lindenberg ist Inhaber der eingetragenen Marke »Ejakulator« (Registernummer 30640709, Anmeldetag 30. Juni 2006, Schutzendedatum 30. Juni 2016).

Das Couvade-Syndrom bezeichnet das Phänomen, dass Männer, deren Frauen schwanger sind, ebenfalls eine Schwangerschaftssymptomatik wie Übelkeit oder Gewichtszunahme aufweisen. Bis zu 79 Prozent der werdenden Väter erkranken daran und leiden in der Folge unter Gefühlsschwankungen und Depressionen.

Im Film *Bambi* werden weniger als 1000 Worte gesprochen.

Platzangst ist nicht die Angst vor engen Räumen (Klaustrophobie), sondern die Angst vor weiten (öffentlichen) Orten.

> **Bei Clownfischen führt der weibliche Fisch ein Rudel an. Stirbt die »Herrin«, so wird ein männliches Mitglied des Rudels zum Chef und verändert dabei gleichzeitig sein Geschlecht, er wird quasi zur Chefin.**

Es ist wahrscheinlicher, an einem windigen Tag von einer Biene gestochen zu werden, als bei jedem anderen Wetter.

Wenn man zwei Eier aneinanderschlägt, zerbricht immer nur eines der beiden.

Das weltweit zum Geburtstag gesungene Lied »Happy Birthday to you« stammt aus den Federn der Schwestern Mildred J. und Patty Smith Hill und ist in Europa noch bis zum 31. Dezember 2016 urheberrechtlich geschützt.

Die Plakatdichte ist in Österreich deutlich höher als in allen anderen EU-Staaten.

Im 17. Jahrhundert versuchte Philipp von Zesen erfolglos, das Wort »Pistole« durch »Meuchelpuffer« zu ersetzen.

Autos nehmen etwa 24 Prozent der Fläche von Los Angeles ein.

Es gibt Deutsche Meisterschaften im Pfeife-Langsamrauchen. 2011 fand sie am 20. September in Wriezen statt.

Laut einer Langzeitstudie ist es so, dass jeder Mensch bis zu 200-mal am Tag lügt.

Der erste Münzautomat wurde vor 1900 Jahren erfunden. Wenn man ein 5-Drachmen-Stück hineinwarf, bekam man Weihwasser.

In Paraguay wird neben Spanisch auch Guarani gesprochen. »Ananas« und »Jaguar« stammen z. B. aus dieser Sprache. »Tatu« heißt auf Deutsch »Gürteltier«, kann aber auch wegen der ähnlichen Lebensbedingungen (im Verborgenen, warm, feucht) »Vagina« bedeuten.

Die Michaelis-Raute, auch Michaelis'sche Raute oder Lendenraute genannt, ist ein Oberflächenrelief am unteren Rücken der Frau. Sie ist nach dem Gynäkologen Gustav Adolf Michaelis benannt.

Normalerweise konsumiert Köln rund 21 Millionen Liter Kölsch pro Monat. Aber während des Straßenkarnevals kippen sich die Pappnasen mehr als 30 Millionen Liter – 150 Millionen Gläser – hinter die Binde.

Das Rennauto von Formel-1-Weltmeister Sebastian Vettel heißt Kinky Kylie.

Elvis Presley hatte ursprünglich blonde Haare, färbte sie sich jedoch ab seiner Highschool-Zeit schwarz.

Der ehemalige NBA-Star Scottie Pippen (Chicago Bulls) ist Hamburger, geboren in Hamburg/Arkansas.

Das Pendant zur deutschen 1. Fußballbundesliga heißt in der Türkei Süper Lig.

> **Der brasilianische Ibis Sport Club ist die schlechteste Fußball-mannschaft der Welt. In seiner Vereinsgeschichte (70 Jahre) schaffte der Club gerade einmal 65 Tore – und kassierte 3550.**

Hamburger Prostituierte mussten um 1445 ein gelbes Kopftuch tragen.

Nach US-Recht galt es bis zu der Ermordung Kennedys nicht als Kapitalver-brechen, den Präsidenten zu ermorden.

Auf der Erde gibt es mittlerweile 0,8 Zettabytes an digitalen Informationen. Wollte man diese Informationen auf DVDs brennen, so benötigte man ei-nen Stapel DVDs, der von der Erde zum Mond und wieder zurück reichen würde.

Der Bürgermeister der Stadt Batman/Türkei reichte eine Klage gegen Christopher Nolan ein mit der Begründung, er hätte für *The Dark Knight* widerrechtlich den Namen der Stadt benutzt.

Die Waldameise ist das einzige Tier, das selbst Haustiere (diverse Lausar-ten) hält.

Wenn ein Pudel (Mutter) und ein Wolf (Vater) ein Junges bekommen, nennt man das Puwo, umgekehrt heißt es Wopu.

Das Lied »Sonne« der Band Rammstein wurde auf Auftrag von Wladimir Klitschko geschrieben. Es sollte seine Hymne werden, doch seine Chefs fanden das Ergebnis schließlich zu hart.

In Bolivien wird das Toilettenpapier nicht ins Klo, sondern in einen dane-benstehenden Behälter geworfen.

»Sitt« ist ein Wort, das als Adjektiv das Gegenteil von »durstig« – also nicht mehr durstig – bedeuten soll. Die Erfindung von »sitt« war der bekannteste Versuch, eine vermeintliche Lücke innerhalb der deutschen Sprache zu schließen.

Brad Pitt hat aufgrund seines Mitwirkens in *Sieben Jahre in Tibet* lebenslanges Einreiseverbot in die Volksrepublik China.

Die Autobiografie des Urgroßvaters von Karl Theodor zu Guttenberg heißt *Fußnoten*.

Glas ist, rein chemisch betrachtet, kein fester Stoff.

Mozart war Bayer, da Salzburg zu dieser Zeit zu Bayern gehörte.

Der Name ASICS steht für »anima sana in corpore sano« – gesunder Geist im gesunden Körper.

Ein Prozent der Bevölkerung der USA sitzt im Gefängnis.

Der bekannte Song »One Night in Bangkok« (Murray Head) wurde für das Musical *Chess* komponiert. Die Komponisten sind die beiden B in ABBA: Björn Ulvaeus und Benny Andersson.

Wasser, Eis, und Wasserdampf – die drei Aggregatzustände des Wassers – liegen bei 0,01 Grad Celsius (Tripelpunkt) gleichzeitig vor.

Das längste deutsche Wort, in dem jeder Buchstabe nur einmal vorkommt (Heterogramm) lautet »Heizölrückstoßabdämpfung«.

Seit Beginn der Menschheit sind über 100 Milliarden Menschen gestorben.

Die Angst vor Bärten nennt man Pogonophobie.

Gedeon Burkhard spielte in einer der ersten Staffeln von *Kommissar Rex* den Amokläufer Stefan Lanz. Ab der vierten Staffel war er Kommissar Brandner und Herrchen von Rex.

Mit dem Fahrrad bei Rot über die Ampel zu fahren, kostet in Wien 36 Euro.

Der Schauspieler Chuck Norris ist Ehrenmitglied der Texas Rangers.

Die Tastenkombination, um mit einem Samsung-Handy »Alle meine Entchen« zu spielen lautet 123455666656666544443322221.

Von Mitsubishi gibt es ein Automodell namens Pajero, was auf Spanisch in der Umgangssprache »Wichser« heißt.

Das höchste Lebensalter unter allen Lebewesen erreichen die Bakterien. Nahe der sibirischen Stadt Irkutsk wurden lebende Bakterien gefunden, die 500 Millionen Jahre alt sind. Ihr Alter wurde durch radioaktive Messungen festgestellt.

Die Grundstücksnummer der Kirche in Iselsberg (Osttirol) lautet 666.

Im Spanischen besitzt jeder zwei Familiennamen.

Schmusesänger James Blunt war Soldat. Er diente sogar 1999 im Kosovo als Offizier.

Beim Hochziehen der Augenbrauen bewegen sich die Ohren nach oben und die Kopfhaut nach vorne.

Die »Wölfin« im Dom zu Aachen ist in Wirklichkeit eine Bärin.

Früher wurden auf Kriegsschiffen nur Nichtschwimmer angeheuert, da diese das Schiff besser verteidigten.

Media Markt und Saturn gehören zu einer Firma.

> **Den längsten Ballwechsel in der Tischtennisgeschichte schafften in Japan die beiden Spieler Kōji Matsushita und Hiroshi Kamura-Kittenberger am 31. August 2009 mit einer Dauer von acht Stunden 34 Minuten und 29 Sekunden.**

Ein Facebook-Passwort wird im Durchschnitt von zehn anderen Benutzern ebenfalls verwendet.

Der 19.11.1999 war das letzte Datum vor dem 1.1.3111, an dem alle Ziffern ungerade sind.

In Finnland gibt es einen Fußballverein, der FC Santa Claus heißt.

Viele Lippenleser interpretieren die Mundbewegung bei der Aussprache des englischen Wortes »vacuum« als »fuck you«.

Das Geräusch des Jahres 2010 ist das Quaken des kleinen Wasserfrosches.

Die Glocke im Lied »Hells Bells« von AC/DC schlägt 13-mal.

Im Meer ist ein Blitzeinschlag weniger gefährlich als in einem Süßwassersee.

»Sackerl fürs Gackerl« – 52 000 Hunde sind in Wien gemeldet und 47 200 Sackerl mit Hundekot landen täglich in den Abfalleimern. Jährlich werden so mehr als 1100 Tonnen Hundekot ordnungsgemäß entsorgt.

Der Weta, eine neuseeländische Riesengrille, wird von den Ureinwohnern Neuseelands, den Maori, »wetapunga« genannt, was so viel bedeutet wie »Gott der hässlichen Dinge«.

Der Name Ikea setzt sich aus den Initialen des Gründers Ingvar Kamprad und den Anfangsbuchstaben der Adresse seines Bauernhofes Elmtaryd und des Dorfes Agunnaryd zusammen.

Eine Schnecke hat bis zu 25 000 Zähne. Sie sitzen auf der Zunge.

1904 fand in Oberursel im Taunus das erste Seifenkistenrennen der Welt statt.

In Basel gibt es eine Internationale Vereinigung zum Schutz der Gartenzwerge, deren Anliegen die Verbreitung der Zwergenkunde und die Produktion korrekter Gartenwichtel ist. Sie hat auch definiert, was ein echter Gartenzwerg ist.

Blauäugige, weiße Katzen sind oftmals schlechtere Mütter, da diese meistens aufgrund eines genetischen Defektes taub sind und somit ihre Jungen nicht hören, wenn diese nach ihnen rufen.

Mit zugehaltener Nase kann man nicht summen.

Anders als auf vielen Landkarten angegeben, gibt es keine Straßenverbindung nach Kolumbien. Die Reise auf der Panamericana von Alaska nach Feuerland muss in Panama unterbrochen werden.

> **Der Monty-Python-Film *Ritter der Kokusnuss* wurde von den Bands Led Zeppelin und Pink Floyd mitfinanziert.**

Johnny Depp kann kein 3-D sehen. Es gibt nur wenige Menschen, die unter dem sogenanten Weird-Eye-Syndrom leiden, bei dem das Gehirn die 3-D-Bilder nicht verarbeiten kann.

»Idiot« war seinerzeit in der Medizin und Psychologie ein Fachbegriff für Personen mit einem IQ unter 20.

Die Tower Bridge in London ist ein Schiff – zumindest ist sie bei Lloyds als Schiff versichert. Daher wurde sie die ersten 23 Jahre nur von Matrosen betrieben.

In Island gibt es Trollbeauftragte, die sich im Auftrag der Regierung um die Wahrung der Interessen des »verborgenen Volkes« kümmern.

Das Kondom wurde Anfang des 16. Jahrhunderts erfunden.

In 22 Prozent aller Fälle kommt in Großbritannien eine Pizza schneller ins Haus als ein Krankenwagen.

Seegurken können unter schlechten Bedingungen (z. B. bei schlechtem Wasser) ihr Verdauungssystem und einige Organe »auskotzen«, die jedoch wieder nachwachsen.

Bevor Hugh Hefner die wohl berühmteste Zeitschrift für Männer, den *Playboy*, begründete, war er Vertriebsleiter einer Kinderzeitschrift.

Für Entführungen gezahltes Lösegeld kann in den USA von der Steuer abgesetzt werden.

Der Macintosh ist nach der Apfelsorte McIntosh benannt. Der McIntosh war der Lieblingsapfel von Jef Raskin, der Mitglied des Macintosh-Designteams war.

Ein Vorort von St. Louis/Missouri heißt Town and Country.

Jeder sechste Bewohner der Vereinigten Staaten ist deutscher Herkunft, also etwa 52 Millionen Menschen.

Die größte Insel der Schweiz liegt im Zürichsee. Sie heißt Ufenau und ist gerade mal 0,113 Quadratkilometer groß.

Im Pschyrembel (klinisches Wörterbuch) findet man unter »Steinlaus« einen Artikel über dieses von Loriot erdachte Tierchen.

Schiffe fahren in kaltem Wasser schneller als in warmem.

»Alternativlos« ist das Unwort des Jahres 2010.

> **Der Kölner Dom hat die Hausnummer 4.**

Ein Mensch verbringt im Durchschnitt neun Monate seines Lebens auf dem Klo.

Den Master of Disaster gibt es wirklich. Das ist ein Studienabschluss, der in den Niederlanden gemacht werden kann. Master of Disaster ist ein Titel im Bereich des Krisenmanagements.

Die Serie *SpongeBob Schwammkopf* wurde von einem Lehrer für Meeresbiologie, Stephen Hillenburg, erfunden.

In einer 2007 veröffentlichten Langzeitstudie, die fünf Jahre 8000 Menschen inklusive 1200 Paare im Alter zwischen zwölf und 28 Jahren untersuchte, zeigte sich, dass neu verheiratete Frauen und Männer deutlich mehr Gewicht zulegten als Paare, die nur zusammenwohnten.

Die Formel zur Berechnung des Herzminutenvolumens heißt Fick-Formel.

Im Jahre 2009 wurde die erste Barbie mit einem aufklebbaren Arschgeweih veröffentlicht.

Rapper Snoop Dogg plant, eine eigene Kette von Lebensmittelläden zu eröffnen. Er will die Geschäfte »Snoopermarket« nennen.

Bei einem sechs Jahre alten Kissen bestehen im Schnitt 10 Prozent des Gewichts aus Haaren, Schuppen, Milben, toten Milben und Milbenexkrementen.

Fast alle Airlines haben eine Sicherheitsrichtlinie, die verbietet, dass Pilot und Kopilot zur selben Zeit dasselbe essen.

Als Abkalben bezeichnet man den Geburtsvorgang beim Rind.

Der heilige Nikolaus kommt ursprünglich aus dem Gebiet der heutigen türkischen Provinz Antalya, hat also Migrationshintergrund.

Indiens erste Atombombe hatte den Namen »Smiling Buddha«.

Wien liegt weiter östlich als Prag.

Die Schauspielerin Olivia Wilde heißt mit bürgerlichen Namen Olivia Jane Cockburn.

Liebe ist ein Jucken in der Nähe des Herzens, das man nicht wegkratzen kann.

Der Geheimcode für Mr. Krabs' Tresor, in dem das Geheimrezept für den Krabbenburger von SpongeBob liegt, lautet 30-5-20-0.

> **In der nordischen Mythologie musste Loki, der Gott der List, Skadi, die Göttin der Jagd, besänftigen, indem er seine Hoden an dem Bart einer Ziege festband und ein Tauziehen veranstaltete.**

Im Abspann des Films *Hot Shots! – Die Mutter aller Filme* erscheinen zwischen den einzelnen Credits Backrezepte sowie Hinweise darauf, was man nach dem Film tun könnte.

Der erste Sexshop der Welt wurde 1962 von Beate Uhse in Flensburg eröffnet und hieß »Fachgeschäft für Ehehygiene«.

In Reykjavík gibt es eine politische Partei, die den Namen »Die beste Partei« trägt.

Die Morgenlatte entsteht durch eine zu volle Blase, die den Blutabfluss stört.

Das Mädchen Talula does the Hula from Hawaii zog 2008 vor Gericht und verklagte ihre Eltern, weil sie ihren Namen doof fand.

41 Milliarden SMS verschickten die Deutschen im Jahr 2010.

Nur vier der insgesamt 1128 Kapitäne auf deutschen Handelsschiffen sind weiblich.

Aufgrund des Newton'schen Gesetzes ist es schwierig, im Weltall Sex zu haben.

Charlie Sheen hieß früher Carlos Irwin Estévez. Er hat dann den Künstlernamen seines Vaters Martin Sheen (Ramon Gerard Antonio Estévez) angenommen.

Kein Mensch kann in seinem Leben bis 2 000 000 000 zählen, weil es zirka 150 Jahre dauern würde.

1949 gab ein Magazin bekannt: »In Zukunft werden Computer weniger als 1,5 Tonnen wiegen.«

Die weißen Streifen an den Stabilo-Stiften sind durch Zufall dank eines Produktionsfehlers entstanden, doch sie haben sich so schnell als Markenzeichen etabliert, dass man sie beibehalten hat.

Die Kombinationen SS, SA, NS, KZ und HJ sind auf deutschen Nummernschildern nicht erlaubt.

In China gibt es dreimal so viele Pyramiden wie in Ägypten.

Slowenien hat weniger Einwohner als Deutschland Alkoholiker.

Die Band UB40 hat ihren Namen von der Formularbezeichnung des Antrages auf Arbeitslosenunterstützung in England im Jahr 1978. Denn die acht heute immer noch aktiven Musiker trafen sich zu der Zeit regelmäßig beim Ausfüllen des Antrages und gründeten dann die Band.

Gorillas schlafen bis zu 14 Stunden am Tag.

Mukophagie bezeichnet das Essen von vorher aus der Nase gepopeltem Sekret.

Astrid Lindgren telefonierte jeden Tag mit ihren Schwestern Ingegerd und Stina. Als sie älter wurden, begannen sie ihre Gespräche oft mit den Worten »der Tod, der Tod«, um das Thema sozusagen abzuhaken, um danach über andere Dinge reden zu können.

1 Million Euro in 500-Euro-Scheinen wiegt zwei Kilogramm, 1 Million Dollar dagegen zehn Kilogramm.

Der Besitzer von Garfield heißt Jon Arbuckle.

Das lateinische Wort arbor (= Baum) ist, obwohl diese Form regelmäßig maskulin dekliniert würde, grammatikalisch feminin, da die Römer glaubten, in den Bäumen würden Nymphen (weibliche Baumgeister) leben.

Der Name der Hunderasse Chow-Chow bedeutet auf Chinesisch »gut gebraten«.

Jerry Siegel und Joe Shuster, die Erfinder der Comic-, Film- und TV-Ikone Superman, verkauften die Rechte an der Figur für nur 130 Dollar an den Verlag National Periodicals (später DC Comics).

Konrad Lorenz, Nobelpreisträger, widmete sein Buch *Das sogenannte Böse – zur Naturgeschichte der Aggression* seiner Frau.

Der Ausdruck »Schlitzohr« kommt aus dem mittelalterlichen Zunftwesen. Gesellen bestimmter Zünfte trugen als Zeichen ihrer Zunftangehörigkeit Ohrringe. Verstießen sie gegen die Regeln ihrer Zünfte, wurde ihnen dieser Ohrring aus dem Ohr gerissen.

Die teuerste Brücke der Welt ist die Scheffelbrücke in Singen am Hohentwiel und kostete 1 520 940 901 926 024 Mark. Sie wurde während der Inflationszeit 1923 gebaut.

In Helsinki sind manche Straßen in der Fußgängerzone beheizt.

Der Handlung des Films *Der König der Löwen* liegt das Stück *Hamlet* von Shakespeare zugrunde. Der zweite Teil des Films basiert auf *Romeo und Julia*.

Im Universum gibt es 300-mal so viel Materie wie Antimaterie, obwohl beides simultan und in gleichen Mengen entsteht.

Schokolade enthält auch Vitamine.

Die »20 nach 4 Stellung« bezeichnet die Lage des Bestecks, die dem Kellner im Restaurant signalisiert, dass man mit dem Essen fertig ist.

Am 4. Mai ist Welt-Star-Wars-Tag.

Ein Spiegelei, wie Otto Normalverbraucher es kennt, bezeichnen Köche als Setzei, Spiegeleier werden durch Auflegen eines Deckels oder im Ofen auch an der Oberseite gegart.

Vögel können den durch gärende Beeren aufgenommenen Alkohol viel besser abbauen als Menschen. Wären sie genauso groß wie der Mensch, könnten sie alle sieben Minuten eine ganze Flasche Wein trinken, ohne betrunken zu werden.

Das größte Samba-Festival außerhalb von Brasilien findet im oberfränkischen Coburg statt.

Samuel R. Caldwell war 1937 der erste Mensch in Amerika, der wegen dem Verkauf von Marihuana festgenommen wurde. Er war vier Jahre lang in Haft.

Die Blase kann im vornübergebeugten Zustand nicht völlig entleert werden.

Der Buchstabe E ist der mit Abstand am meisten benutzte Buchstabe in der deutschen Sprache.

Die Wahrscheinlichkeit, beim Lesen dieses Textes von einem abstürzenden Flugzeug getötet zu werden, liegt etwa bei 1 : 7 Trillionen, ausgeschrieben: 1 : 7 000 000 000 000 000 000.

In Kärnten gibt es die Orte Innere und Äußere Einöde.

Das Lied »Let it snow« wurde im Sommer geschrieben.

In Berlin gibt es gerade und ungerade Hausnummern auf der gleichen Straßenseite.

Silvester wurde nach Papst Silvester benannt. Dessen Todestag war der 31. Dezember 335.

Bob Marleys Lied »No Woman, no cry« heißt eigentlich »No Woman, nuh cry«. Das Wort »nuh« steht im Jamaikanischen für »don't«, wurde aber ins amerikanische Englisch mit »no« übersetzt.

Die australische Band AC/DC ist eine der wenigen Bands heutzutage, die den Verkauf ihrer Alben bei iTunes verweigert.

Der Name Hanuta ist ein Akronym aus dem Wort HAseINUssTAfel. Auf der Packung selbst steht Haselnuss-Schnitte, da dies die Verkehrsbezeichnung des Produktes nach den lebensmittelrechtlichen Vorschriften ist.

Eine Hundertschaft der Polizei besteht aus mehr als 100 Polizisten.

1 Meter definiert sich nach der Länge einer Strecke, die Licht im Vakuum während des Intervalls von 1/299 792 458 Sekunden durchläuft.

In **Neufundland, Kanada,**
existiert eine Stadt
namens **Dildo.**

Das Lachen und die Erzählstimme in Michael Jacksons Hit »Thriller« stammt von Vincent Price, einem in den 1930er- bis 1990er-Jahren erfolgreichen Horrorfilmdarsteller.

Seit 2001 erhält der US-Präsident ein Gehalt in Höhe von etwa 400 000 Dollar pro Jahr. Die heutigen Präsidenten können im Weißen Haus leben und arbeiten, allerdings wird ihnen die private Nutzung der Küche in Rechnung gestellt.

Die Amerikaner zählen vom Zeigefinger aus, nicht so wie die Deutschen, die vom Daumen aus zählen.

Mit 103 Jahren ist Lillian Lowe aus Tenby in England die älteste aktive Facebook-Userin.

2007 schaffte es ein 16-jähriger isländischer Jugendlicher namens Vífill Atlasonfast, mit dem US-Präsidenten zu telefonieren.

Der Asteroid »2309 Mr. Spock« erhielt seinen Namen nach der Katze des Entdeckers, die wiederum nach dem *Star-Trek*-Charakter Mr. Spock benannt war.

Die Szene im Film *Fight Club*, in der Brad Pitt und Edward Norton betrunken Golfbälle durch die Gegend schlagen, ist nicht gestellt. Sie waren tatsächlich betrunken.

In Glas breitet sich ein Riss mit etwa 1500 Meter pro Sekunde aus.

Von etwa 20 000 Weinbergschnecken trägt nur eine ihr Schneckenhaus in Form einer linksgängigen Spirale auf dem Rücken.

Der zweite Vorname von Richards Nixons Mutter (und auch seiner) war Milhous.

Am 15. März wird in Japan das Penis-Fest gefeiert, bei dem große Holz-Phalli durch die Straßen getragen werden.

Würde man die Geräusche der Bewegungen von allen Kometen zusammenfassen, würde eine harmonische Symphonie entstehen.

Denis Lawson (Kommandant »Wedge Antilles« in Star-Wars-Episode IV–VI) ist der Onkel von Ewan McGregor (Obi-Wan Kenobi in Episode I–III).

In einigen Städten Saudi-Arabiens sind der Verkauf und das Ausführen von Hunden verboten, da dies, laut Sittenpolizei, häufig die Kontaktaufnahme zwischen Männern und Frauen begünstige.

US-Schauspieler Robin Williams schrieb seinem deutschen Synchronsprecher Peer Augustinski einen Dankesbrief und Genesungswünsche, nachdem Augustinski einen Schlaganfall erlitten hatte.

Die Firma Gilette bot Billy Gibbons und Dusty Hill, Gitarrist und Bassist der Band ZZ Top, 1984 an, sich im Rahmen einer Werbekampagne für jeweils 1 Million Dollar ihre markanten Bärte abrasieren zu lassen. Beide lehnten ab.

Im Land der Elche ist das Risiko, mit Wild zusammenzustoßen, am größten im Bundesstaat Kronobergs Län – fast 2 Prozent der Autos haben so einen Unfall.

Bei einem Wurf im Handball entsteht so viel Energie, dass eine 5-Watt-Fahrradlampe 31 Sekunden leuchten könnte.

Der Vorstandsvorsitzende von Ravensburger Spiele heißt Schmidt.

Feuerwehrmänner sind beim Überqueren einer roten Ampel während eines Einsatzes nicht versichert.

Als die Antibabypille neu herauskam, weigerten sich die meisten Ärzte, sie an unverheiratete Frauen zu verschreiben, da Sex vor der Ehe nicht in Ordnung sei.

Iranische Toilettenpapierblätter sind etwa doppelt so lang wie europäische.

William Moulton Marston, dem Erfinder von Wonder Woman, wird auch die Erfindung eines ersten Lügendetektors zugeschrieben. Wesentlich beigetragen zu der Erfindung hat dem Vernehmen nach seine Frau Elisabeth, die auch die Figur von Wonder Women inspirierte.

Die Schriftart der Spielernamen auf den Trikots der Frauenfußballnationalmannschaft heißt »Action Man Regular«.

President George W. Bush war Cheerleader an der Phillips Academy, Andover, MA.

Der Teichmolch wurde 2010 vom Naturschutzbund Deutschland zum Lurch des Jahres gewählt.

In Südkorea zählt die Zeit im Mutterleib zum Alter dazu. Wer auf die Welt kommt, hat also schon ein Jahr auf dem Buckel (es wird aufgerundet).

Wenn Schnecken mit zwei Köpfen geboren werden, kämpfen die beiden Köpfe gegeneinander um Futter.

Das Wort »Nylon« wurde aus den Anfangsbuchstaben des Satzes »Now, You Lousy Old Nipponese« hergeleitet. Bei der Entwicklung des Nylons ging es um ein Wettbewerbsprodukt zur teuren japanischen Seide. Mit »Nipponese« waren die Japaner gemeint.

Die Produktion des Films *Titanic* kostete mehr als das Schiff Titanic.

In der Saison 1951/52 wurde Dummheit belohnt. Wer im Saarländischen Fußball-Toto elf falsche Tipps abgab, erhielt eine Sonderprämie von 500 000 Saar-Francs.

Tom Hanks ist ein entfernter Verwandter des 16. US-Präsidenten Abraham Lincoln (1809–1865). Lincolns Urururgroßeltern William und Sarah Hanks sind die gemeinsamen Vorfahren.

Im Arcade-Spiel »Pac-Man« (1980) ist Level 256 aufgrund eines technischen Umstandes nicht lösbar. So liegt die bei diesem »Endlos-Spiel« maximal erreichbare Punktzahl bei 3 333 360 Punkten nach 255 Leveln.

Ozzy Osbourne ist 19-mal durch die Führerscheinprüfung gefallen.

Es gibt im Chinesischen zwölf verschiedene Möglichkeiten, »und« zu sagen.

Eastpack-Rucksäcke werden weltweit mit einer lebenslangen Garantie verkauft, außer in Deutschland: Hier ist die Garantie auf (nur) 30 Jahre beschränkt.

Das Teeservice, welches in *Tarzan* im Camp von Jane auf dem Tisch steht, gleicht dem Teeservice in *Die Schöne und das Biest* bis aufs kleinste Detail, einschließlich des Risses in der Tasse.

In der englischen Originalversion von *Pulp Fiction* sind 429 Schimpfwörter zu hören, davon 265-mal »Fuck«. Dennoch steht der Film auf der »List of films that most frequently use the word ›fuck‹« nur auf Platz 23, direkt hinter Reservoir Dogs.

Die durchschnittliche Austrittsgeschwindigkeit von Ketchup aus der Flasche beträgt 40 Kilometer im Jahr.

Obelix ist so stark, dass er fünf Eifeltürme für 20 Sekunden zehn Zentimeter hochheben könnte.

In New York ist es verboten, aus der U-Bahn heraus Kaninchen mit der Pistole abzuschießen.

Wenn man die Album-Version von James Browns »Super Bad« spielt, kann man hören, dass die Fußmaschine des Schlagzeugers quietscht.

Das Rauschen zwischen zwei Radio- oder TV-Sendern besteht zu 1 Prozent aus dem Echo des Urknalls.

Harry Potter hat im ersten Teil nicht einmal gezaubert.

Napoleon konnte sechs Personen gleichzeitig zuhören.

Der Ort Vösendorf in Österreich hieß ursprünglich Felsendorf, wurde aber im Laufe der Zeit durch den Dialekt zu Vösendorf.

Eine voll geladene Batterie wiegt gleich viel wie eine leere Batterie.

Kenneth Tynan war der erste Mensch, der das Wort »Fuck« im Fernsehen gebrauchte.

1961 definierten Wissenschaftler 1 Sekunde als den 31 556 925 974. Teil des Jahres 1900 neu.

Der Dackel von Justizministerin Leutheusser-Schnarrenberger hieß Dr. Martin Luther.

In London wird ein Bürger im Durchschnitt am Tag von etwa 300 Kameras erfasst.

Wenn man allen Atomen auf der Welt die Außenbahnen wegnehmen würde, könnte man alles in eine Streichholzschachtel packen.

South Park: Der Film – größer, länger, ungeschnitten steht im Guinness-Buch der Rekorde wegen der meisten Flüche in einem Trickfilm: 399 Flüche und 128 beleidigende Gesten in 81 Minuten.

> **Würde man das gesamte Bier, das im Jahr 2004 in Deutschland ge-
> braut wurde, in einen Würfel füllen, so hätte dieser eine Kantenlän-
> ge von circa 2,3 Kilometern.**

Kalter Kaffee bleibt in einer Thermoskanne länger kalt.

16 Prozent aller Amerikanerinnen werden blond geboren, 33 Prozent sind derzeit blond. Von den TV-Sprecherinnen sind 64 Prozent blond, von den Miss Americas ganze 65 Prozent.

Die vier südafrikanischen Brüder Keaghan(20), Kyle (18), Devon (18) und Sheldon (18) Jacobs waren bei ihrem Einsatz für Livingston FC aus Schottland das erste Brüderquartett seit dem 19. Jahrhundert, das zusammen ein Profispiel bestritt.

Wenn Cristiano Ronaldo sein Bein am Gesäß von Jennifer Lopez bricht, dann übersteigt die Schadenssumme der Versicherung das Bruttoinlandsprodukt von Angola.

Die Antarktis hat im Sommer eine Bevölkerungsdichte von 0,0025 Menschen pro Quadratkilometer und im Winter von 0,0014 Menschen pro Quadratkilometer.

Mit der Energie, die man aus der durchschnittlichen Menge an Urin, die ein Mensch in einem Jahr produziert, gewinnen könnte, könnte man mit einem Auto 2700 Kilometer fahren.

An der Hochschule Merseburg gibt es den Studiengang Angewandte Sexualwissenschaft.

Der Milliardär Nicolas Berggruen ist der reichste Obdachlose der Welt. Als er seine Luxuswohnungen in New York, L. A. und London verkauft hat, wurde er vom *Wall Street Magazin* »obdachloser Milliardär« getauft.

Eine einzige Buschpflaume (Terminalia ferdinandiana) enthält 2300 bis 3150 Milligramm Vitamin C. Zum Vergleich: Ein Apfel beinhaltet im Durchschnitt etwa 12 Milligramm.

Der ehemalige australische Premierminister Harold Holt ging am 17. Dezember 1967 schwimmen und wird bis heute vermisst.

Die Titanic hatte drei Motoren, aber vier Schornsteine. Einer davon war nur eine Attrappe. Vier mussten es deshalb sein, weil die Konkurrenzschiffe auch vier besaßen und die Titanic ansonsten nicht genug Ansehen gehabt hätte.

Während des Vietnamkriegs gab es im Großraum Chicago mehr Handfeuerwaffen in Privatbesitz als in den Händen der stationierten amerikanischen Streitkräfte in Fernost.

Das kantonesische Wort für »ja« ist »hai«, wenn man die Tonhöhe senkt. Das kantonesische Wort für »Fotze« ist »hai«, wenn man die Tonhöhe hebt.

Die Hauptstadt der Mönchsrepublik Athos heißt Καρυές (Karies).

Bela B. und Farin Urlaub (Gründer der Band Die Ärzte) gehörten früher der Band Soilent Grün an.

Die Abkürzung für den russischen Mädchennamen Alexandra ist Sascha.

Für die Herstellung der Sachertorten durch das Hotel Sacher schlägt eine Mitarbeiterin täglich rund 7500 Eier auf.

Der letzte Hollywood-Film, der auf VHS erschien, war im Jahr 2006 *A History of Violence*.

Jeder Krankenwagen muss laut StVO einen Verbandskasten nach DIN-Norm an Bord haben. Bei Versäumnissen gibt es von der Polizei ein Knöllchen.

Ziegen haben im hellen Licht rechteckige Pupillen.

Der Alkoholgehalt von Orangensaft beträgt zwischen 0,07 und 0,3 Volumenprozent.

Vom heiligen Patrick, dem Nationalheiligen Irlands, ist wenig sicher überliefert, außer einer Tatsache: Er war kein Ire.

Die Malediven haben eine eigene Müll-Insel – Thilafushi –, auf der Metall- und Plastikabfälle deponiert werden.

In den Listen der DIN-Normen kann man Folgendes finden: »DIN 2046: Eimer für Sauerkraut und Gurken, zylindrisch.«

Statistisch gesehen ertrinkt jeden Tag in den USA ein US-Bürger in der Badewanne.

Eine Sonntagsausgabe der *New York Times* verbraucht 63 000 Bäume.

1941 baute Henry Ford ein Auto aus Hanf, das mit Hanföl angetrieben wurde.

In Kirchen, in denen Reliquien des heiligen Blasius aufbewahrt werden, kann man sich gegen Halsschmerzen, Ersticken und andere Halserkrankungen wappnen.

Das Märchen Rapunzel *kann nicht stimmen. Denn Rapunzel müsste zehn Meter lange Haare haben, damit jemand an ihnen den zehn Meter hohen Turm emporklettern könnte. Also müsste sie etwa 70 Jahre alt sein, da Haare vier bis sieben Jahre brauchen, um maximal einen Meter lang zu werden.*

Die Katze von Katy Perry heißt Kitty Purry.

Skorpione leuchten unter UV-Licht.

Bram Stoker wollte zunächst seinen Roman *Dracula* in der Steiermark spielen lassen.

Die Banane ist aus botanischer Sicht eine Beere.

Glühwürmchen wandeln Energie so effizient in Licht um, dass der Wirkungsgrad 95 Prozent ergibt.

Der jüdisch-schweizerische Filmemacher Arthur Cohn war der erste nicht US-amerikanische Produzent, dessen Name einen Stern auf dem Hollywood Walk of Fame ziert.

Eine Kuh furzt pro Tag bis zu 400 Liter Methangas. Würde man diese Methanmenge verbrennen, könnte man daraus 4 Kilowattstunden Energie gewinnen. Das ist ziemlich genauso viel, wie in 0,4 Liter Heizöl stecken.

10 Prozent der Befragten einer britischen Umfrage in Wales versenden Weihnachtskarten an Haustiere.

Der Berliner S-Bahnhof Friedrichsfelde Ost wurde zwischen 1968 und 1979 um 500 Meter nach Westen verschoben.

Die USA geben allein jährlich 20 Milliarden US-Dollar für die Betreibung von Klimaanlagen im Irak und in Afghanistan für ihre Soldaten aus.

Wegen ihrer Visionen wurde Klara von Assisi († 11. August 1253) am 17. Februar 1958 von Papst Pius XII. zur Schutzpatronin des Fernsehens erklärt.

Die Hoden der männlichen Südlichen Beißschrecke machen 14 Prozent des Körpergewichts aus.

Seit dem 2. November 2007 erklingen die nach c-Moll transponierten Takte acht bis 16 des Liedes »Stairway to Heaven« von der Band Led Zeppelin täglich um 12.04 Uhr vom Glockenspiel im Turm des Fürther Rathauses.

Ameisen und Termiten machen etwa 20 Prozent der Biomasse der Erde aus. Sie produzieren Methangas und sind in der Summe somit umweltschädlicher als manches Auto.

Der Mathematiker Stephan Westphal von der Universität Göttingen erstellt den Spielplan der Fußballbundesliga.

Zwei Drittel der Welternte an Auberginen wächst in New Jersey.

Das Herz eines Blauwaales wiegt 600 bis 1000 Kilogramm.

Das 1962 gebildete Gremium zur Unterstützung bei Zahlungsbilanzschwierigkeiten Group of Ten besteht aus elf Mitgliedern: Belgien, Kanada, Frankreich, Deutschland, Italien, Japan, Niederlande, Schweden, Schweiz, Großbritannien und USA.

Im Schwarzwald gibt es ein Dorf namens Zweribachtal, in dem es im Winter keine Sonne gibt, weil die Sonne es nicht über den Berg schafft. So bleibt es im Winter immer im Schatten.

Schlangen benutzen nur den rechten Lungenflügel, der linke ist verkümmert.

Beim Besuch von Ex-Bundespräsident Roman Herzog 1995 in Brasilien spielte das Orchester der Polizeiakademie von Porto Alegre die DDR-Hymne.

Deutsches Wort für Fenster: Tageslichtreinlasser.

Fremdkörper in Anus und Rektum finden sich bei Männern erheblich häufiger als bei Frauen. Das Verhältnis beträgt ungefähr 28 : 1.

Am 21. März ist der Internationale Tag des Waldes.

Der Künstler Piero Manzoni füllte eigenen Kot in Dosen und verkaufte ihn als »Künstlerscheiße«.

Ein Pränominaltherapeut hilft Menschen, die Dieter heißen und darunter leiden.

Jede dritte Katze in Deutschland hat Übergewicht.

Würde Michael Jordan (ehemaliger Basketball-Profi) 100 Prozent seines Einkommens über die nächsten 450 Jahre sparen, hätte er immer noch weniger Geld als Bill Gates heute.

Der 1. März und der 1. November eines Jahres sind immer der gleiche Wochentag.

Die Spanier sagen natürlich nicht: »Das kommt mir spanisch vor«, sondern: »Das kommt mir chinesisch vor« – »esto me suena a chino«.

In Frankreich wurde 1740 eine Kuh der Zauberei für schuldig befunden und gehängt.

Das Gen auf dem Y-Chromosom, das für die Ausbildung der männlichen Geschlechtsmerkmale verantwortlich ist, heißt SRY, kurz für: Sex determinating Region of Y.

Die Geschwindigkeit, mit der Fingernägel wachsen, beträgt etwa 0,000000004 km/h.

Im Libanon darf ein Mann Sex mit einem Tier haben, aber das Tier muss weiblich sein. Sex mit männlichen Tieren wird mit dem Tod bestraft.

Russische Kosmonauten urinieren zur Erinnerung an Juri Gagarin unmittelbar vor dem Start an den Hinterreifen des Transferbusses.

Der weltberühmte Zebrastreifen, der auf dem Beatles-Album »Abbey Road« abgebildet ist, wurde am 22. Dezember 2010 unter Denkmalschutz gestellt.

Der jetzige König von Swasiland Mswati III. hat im Juni 2005 bereits seine zwölfte Frau geheiratet. Sein Vater König Sobhuza II., der 1982 starb, hatte 120 Frauen.

Als Ithyphallophobie bezeichnet man die Angst, eine Erektion zu sehen, zu haben oder an eine zu denken.

> **Um eine ausreichende Durchblutung des Gehirnes sicherzustellen, braucht die Giraffe einen arteriellen Blutdruck von 250 mmHg.**

Das englische Wort für Schlumpf ist »smurf«.

Die FIFA hat mehr Mitgliedsstaaten als die UN.

Alf, der Held der gleichnamigen Sendung – alias Gordon Shumway –, ist nur 93 Zentimeter groß.

In Thailand herrscht auf den Straßen genau wie in England Linksverkehr. Und das nur aus dem Grund, weil sich König Bhumibol Adulyadej einen englischen Rolls-Royce gekauft hat, der sein Steuer auf der rechten Seite hat.

Wenn Wikipedia als Buch veröffentlicht werden würde, wäre dieses 2,25 Millionen Seiten dick und man würde etwa 123 Jahre brauchen, um es zu lesen.

Das Wort »Duden« steht nicht im Duden.

Die erste erfolgreiche Wiederbelebung mit elektrischem Strom fand 1774 statt. Dabei wurde ein dreijähriges Kind, das aus einem Fenster auf die Straße gestürzt war, mithilfe eines elektrostatischen Generators reanimiert.

Der Sekundenzeiger einer Uhr schlägt rhythmisch gesehen in Larghetto. Genauer gesagt mit 65 bpm (65 Schlägen pro Minute).

Es gibt insgesamt etwa 27 100 Apps für iPod und iPhone.

Leberkäse wird in Tirol Fleischkäse genannt.

Der Film *7 Sekunden* dauert 5760 Sekunden.

Die Novercaphobie (Pentheraphobie) gehört zu den spezifischen Phobien und bezeichnet die krankhafte Furcht vor der Schwiegermutter.

Testosteron heißt so viel wie »fester Hoden«, »testis« ist Altgriechisch für »Hoden« und »stereos« für »fest«.

Ernest Borgnine ist der einzige noch lebende Schauspieler, der vor 1960 den Oscar für die beste männliche Hauptrolle gewonnen hat.

Lady Gaga hat als Roadie die Kostüme für die Mitglieder der Band Iron Maiden gebügelt und vorbereitet.

Der Erfinder der Pringles-Dose, Fredric J. Baur, war so stolz auf seine Erfindung, dass er nach seinem Tod 2008 einen Teil seiner Asche in einer solchen Dose anstatt in einer Urne beerdigen ließ.

In den USA haben Männer als Reaktion auf den Valentinstag den 14. März zum »Steak and BJ Day« erklärt. An diesem Tag sollen sich die Damen mit Fleisch und Oralverkehr für die Geschenke am Valentinstag bedanken.

Christian Bale hatte bereits als kleiner Junge in dem Kinderfilm *Mio mein Mio* eine Rolle.

Die CD von Katy Perrys Album »Teenage Dreams« riecht nach Erdbeeren.

Der Pariser Eiffelturm schrumpft bei Minusgraden um bis zu 15 Zentimeter.

Einer der wertvollsten Warhols wurde von Christo verpackt.

Der deutsche Schwimmsportler Paul Biedermann fiel als Kind durch die Seepferdchenprüfung.

In Malta gehen manche Kirchturmuhren falsch, damit der Teufel nicht weiß, wann die Messe stattfindet und die Christen stören könnte.

Wenn man auf einen Hasen zielt und dann schnell einmal rechts und einmal links vorbeischießt, dann ist der Hase statistisch gesehen tot.

Das Musikvideo »Thriller« von Michael Jackson wurde bei der deutschen Erstaustrahlung in der Sendung *Formel 1* der ARD aus Jugendschutzgründen erst um 22 Uhr ausgestrahlt.

Die lateinische Bezeichnung für Seesterne ist »Asterioida«.

Bud Spencer hat schon mit 16 Jahren das Gymnasium beendet und schrieb sich daraufhin für ein Chemie-Studium in Rom ein.

Der Name Gruber ist gemessen an den Telefonbucheinträgen der in Österreich gebräuchlichste Namen, gefolgt von Bauer und Huber. In den USA rangiert der Name Gruber allerdings nur an 1914. Stelle.

Eine russische Sekte verehrt Putin als die Reinkarnation des Apostels Paulus.

Das Leuchten der Glühwürmchen geht auf die Aktivität des Enzyms der Luziferase zurück.

Sex in der Ehe ist laut § 1353 Bürgerliches Gesetzbuch theoretisch Pflicht.

Gerard Piqué, Fußballer des FC Barcelona, heißt mit Nachnamen Bernabéu. So lautet auch der Name des Stadions von Real Madrid, des Erzfeindes von Barca.

Mit rund 306 Millionen Reifen pro Jahr ist die Firma Lego der größte Reifenhersteller der Welt.

> **Anatidenphobie ist die Angst, von einer Ente beobachtet zu werden.**

Der Mondfisch heißt im Englischen »sunfish«.

Eine Giraffe kann länger ohne Wasser leben als ein Kamel.

John Wayne hält den Rekord als Schauspieler mit den meisten Hauptrollen: 142. In allen außer elf Filmen spielte er die Hauptrolle.

Der Baum des Jahres 2010 ist die Vogelkirsche.

Die Tonfolge vom sogenannten Martinshorn ist in Deutschland üblicherweise A bis D. Auf dem Land beträgt die Frequenz der Töne 2 bis 4 Kilohertz, in der Stadt nur 0,5 bis 2 Kilohertz.

Walrosse werden der Familie der Hundeartigen zugeteilt.

Das kleinste Postbüro der USA ist ein umgebauter Düngemittelschuppen. Von ihm aus werden die 200 Familien in und um Ochopee in den Everglades/Florida mit Post versorgt.

Die hawaiianische Sprache kennt nur acht Konsonanten.

Schwimmende Seepockenlarven bevorzugen zur Ansiedlung Stellen, an denen schon Artgenossen wohnen, denn zur Fortpflanzung dürfen diese nicht weiter entfernt sein, als der Penis lang ist. Er erreicht immerhin doppelte Körperlänge.

Miley Cyrus' Serienbruder Jason Earles ist in Wirklichkeit schon 34 Jahre alt.

Ein Videospiel, das in Deutschland indiziert wird, wird erst nach 25 Jahren wieder vom Index gestrichen.

Jeder Monat, der mit einem Sonntag beginnt, hat einen Freitag den 13.

Donald Duck trägt zwar nie eine Hose, aber wenn er schwimmen geht, hat er plötzlich eine Badehose an.

Die Briten haben ein drängendes Problem: Es gibt zu wenig öffentliche WCs. Dadurch müssen Pubs, Cafés und Geschäfte ihre Klos der Allgemeinheit zur Verfügung stellen.

Der offizielle Name von $(Mg,Fe)7Si8O22(OH)2$ lautet Cummingtonit oder Cummingtonite auf Englisch, benannt nach dem Erstfundort, Cummington/Massachusetts.

1957 befand sich auf Platz 6 der beliebtesten Freizeitbeschäftigungen »Aus dem Fenster schauen«.

> **Der Weltrekord beim Kaninhop liegt in der Höhe bei 99,5 Zentimetern und in der Weite bei drei Metern.**

Der Meter entspricht nicht dem Ideal eines 40 000. Teils des Erdradius, weil ein Messfehler im 18. Jahrhundert bis heute unkorrigiert blieb.

Die korrekte amtliche Bezeichnung für eine männliche Politesse lautet: männliche Überwachungskraft des ruhenden Straßenverkehrs.

Soap Operas heißen so, weil es zu Beginn meist Seifenhersteller waren, die diese gesponsort haben.

Die Beerdigung von Liz Taylor am 24. März 2011 begann mit einer Viertelstunde Verspätung, weil sich die Schauspielerin immer gewünscht hatte, zu spät zu ihrer eigenen Beerdigung zu kommen.

Godzilla hat Schuhgröße 1538.

In den USA gibt es eine Art Bestimmungsbuch fuer Tiere. Es heisst Flatened Fauna. Anhand dieses Buches koennen im Strassenverkehr ueberfahrene Tiere ueber die Gestalt ihrer plattgefahrenen Silhouetten bestimmt werden.

Der Name der Firma Nintendo besteht aus den drei Schriftzeichen »nin« für Pflicht, Aufgabe, Verantwortung, »ten« für Himmel und »dō« für Tempel, Halle. Das Unternehmen übersetzt den Namen selbst mit »Lege das Glück in die Hände des Himmels«.

Der BigMac von McDonald's weist durchschnittlich über 178 Sesamkörner auf.

Weite Teile des in Tokio spielenden Films *The Fast and the Furious*: Tokyo Drift wurden in L. A. gedreht, wo man einen Straßenzug japanisch »verkleidet« hatte.

Mit dem Verkauf eines Kobe-Rindes ist das Jahreseinkommen eines japanischen Bauern gesichert.

Die Teletubbies gerieten in Polen in Verdacht, Kindern homosexuelle Werte zu vermitteln, weil Tinky Winky, der eine männliche Person darstellt, eine Handtasche besitzt.

In Harvard wurde 1991 die erste Internetkamera der Welt installiert. Mit ihrer Hilfe konnten die Professoren den Füllstand der Kaffeemaschine überprüfen und auf ihren Rechnern sehen, ob noch Kaffee da war.

Von Tuntenhausen nach Tittenkofen sind es 58 Kilometer.

Das niederländische Wort für »anrufen« ist »bellen«.

Im Staat Uganda liegt eine Region namens Buganda, in der die Sprache Luganda gesprochen wird.

Schnee gilt als Sondermüll und muss daher ordnungsgemäß entsorgt werden, darf also nicht z. B. in Flüsse gekippt werden.

Beim Länderspiel Brasilien – Deutschland am 12. Dezember 1987 lachte bei der Einwechslung des deutschen Spielers Franco Foda das ganze Stadion, da sein Name im Portugiesischen »umsonst ficken« bedeutet.

> •
> **Die zehn gefragtesten Jobs des Jahres 2010 haben 2004 noch gar nicht existiert.**
> •

Fukushima heißt übersetzt »Glücksinsel«.

Mel Blanc, die amerikanische Synchronstimme von Bugs Bunny, konnte Karotten nicht ausstehen.

Der 28.11.2738 ist der einmillionste Tag seit Beginn unserer Zeitrechnung.

Mit 22 Stunden und 75 Minuten dürften die Klapperschlangen Rekordhalter unter den Landwirbeltieren sein, wenn es um die Dauer von Sex geht.

Jede Schweizerin und jeder Schweizer isst pro Jahr im Durchschnitt zwölf Kilogramm Schokolade.

Die Stadt Kansas City liegt gar nicht im Bundesstaat Kansas, sondern im Bundesstaat Missouri.

In Finnland gibt es einen Fußballverein namens FC Kiffen.

Das Golfspiel wurde angeblich ursprünglich aus Langeweile von Schafhirten im schottischen Hochland erfunden. Als Bälle dienten damals Steine oder Tannenzapfen.

Im Mittelalter brachten die Kreuzritter Brieftauben aus dem Orient mit in die Heimat, um diese dort als Kommunikationsmittel zu nutzen. Dies wurde jedoch erst mit den Nachkommen der Tiere möglich, denn die ursprünglichen Tiere flogen immer wieder zurück in die Heimat.

Wissenschaftler haben herausgefunden, wie sich Bienen verständigen. Allerdings können Bienen offenbar keine Fremdsprachen, denn ägyptische und deutsche Bienen können sich nicht verständigen.

Die Schweiz ist 2006 aus der Fussballweltmeisterschaft ausgeschieden, ohne ein Tor erhalten zu haben.

Prinz William ist einer der berühmtesten Wasserballer der Welt. Der englische Prinz betrieb neben dem typisch britischen Polo zu seiner Zeit als Schüler und Student auch »Water Polo«.

Der ukrainische Ort Kusnezowsk ist einer der wenigen Orte auf der Welt, der ein Kernkraftwerk im Stadtwappen führt.

Etwa 90 Prozent aller Menschen weltweit haben braune Augen.

Löwen können schnurren.

Der größte Altersunterschied zwischen Filmpaaren ist nicht etwa bei *Harold und Maude* oder *Die Reifeprüfung* zu finden, sondern im Film *Die Zeitmaschine*: Der zeitreisende George ist über 800 000 Jahre älter als seine Freundin Weena.

> **Wer im Stadion »schwule Sau« ruft, bekommt Stadionverbot.**

Das Wort »Kaufrausch« kommt nicht ohne das Wort »Frau« aus.

Die Reitsportdisziplinen sind die einzigen olympischen Wettbewerbe, in denen Frauen und Männer nicht getrennt voneinander antreten.

Treibsand zählt als nicht-newtonsches Fluid zu den Flüssigkeiten.

Im Dezember 2008 hatte der Chef des russischen Werbeunternehmens Superfone, Oleg Teterin, versucht, das Augenzwinker-Emoticon ;-) beim Patentamt in Moskau markenrechtlich schützen zu lassen, um Lizenzgebühren zu erheben. Das Patentamt lehnte dies ab.

Peter Lustig war für den Ton der Aufnahme von John F. Kennedys Rede »Ich bin ein Berliner« verantwortlich.

Der sowjetische Raketenkonstrukteur Michail Jangel überlebte 1960 unverletzt die Explosion der von ihm entworfenen Interkontinentalrakete, bei der über 120 Menschen getötet wurden, weil er zum Unglückszeitpunkt Rauchen gegangen war.

Es gibt mehr Hühner auf der Erde als Menschen.

Lenins Hirn wurde damals obduziert, um wissenschaftlich zu beweisen, dass Genialität nur im Kopf eines Kommunisten existieren kann.

Affen können lügen: Ein Forscherteam hat herausgefunden, dass, wenn ein Affe ansprechendes Futter sieht und es für sich allein haben will, er einen Warnschrei ausstößt. Wenn alle Affen fliehen, schnappt er sich das Essen und futtert es ganz allein.

Der Forscher Edward Wilson benannte eine seltene Ameisenart nach Harrison Ford: Pheidole harrisonfordi.

Ein 500-Euro-Schein kostet in der Anfertigung 12 Cent.

Bis 2004 war in Singapur der Verkauf von Kaugummi verboten.

Außergewöhnlich viele Menschen träumen vor einer Operation von Reparaturen an Gegenständen.

Der Satz »Beam me up, Scotty« kommt in dieser Form nie in der Original-*Star-Trek*-Serie vor.

Wenn man einatmet und unter Wasser langsam ausatmet, wird das Geräusch der aus der Lunge strömenden Luft immer höher, je leerer die Lunge wird.

Das Salutieren per Hand an der Stirn, das man aus dem Militär kennt, hat seinen Ursprung im Mittelalter. Wenn sich Ritter, die eine Rüstung trugen, auf dem Pferd begegneten, mussten sie ihr Visier öffnen, um zu erkennen, mit wem sie es zu tun hatten.

> **Die meisten Menschen laufen gegen den Uhrzeigersinn durch einen Supermarkt. Das liegt daran, dass der Mensch linksorientiert ist und somit lieber nach links läuft.**

In den USA wird alle 39 Minuten ein Porno gedreht.

Stockentenerpel (die Enten, die man hierzulande in Parks und auf Gewässern antrifft) schütteln sich, wenn sie erregt sind, als Zeichen für die Weibchen.

Chuck Norris hat dieselbe deutsche Synchronstimme wie Benjamin Blümchen, nämlich die von Jürgen Kluckert.

Die Figur Hello Kitty hat keinen Mund.

Nicht der Gipfel des Mount Everest, sondern der Gipfel des Chimborasso ist der vom Erdmittelpunkt am weitesten entfernte Punkt an der Erdoberfläche, da sich die Erde durch ihre Rotation vom Äquator zu den Polen hin abflacht.

Auf Isländisch heißt Pippi Langstrumpf Lína Langsokkur.

Der Pool in der Serie *Dallas* ist in Wirklichkeit nur halb so groß. Er wurde für die Aufnahmen mit einem Spiegel vergrößert.

Eines der etwa 200 CIA-Attentate auf Fidel Castro bestand lediglich darin, ihm Haarentfernungsmittel in die Stiefel zu schmieren, das er über die Fußsohlen aufnehmen sollte. Dadurch sollte sein Bart, das Symbol der Revolutionäre, abfallen.

Kleiderbügel sind die am häufigsten aus Hotelzimmern gestohlenen Gegenstände.

In den 1980er-Jahren trugen etwa 95 Deutsche den Namen Winnetou.

Etwa 100 Kilometer nördlich von Berlin gibt es einen Ort, der Berlinchen heißt.

»Hääyöaie« ist weltweit das Wort mit den meisten Vokalen in Folge und bedeutet im Finnischen »etwas in der Hochzeitsnacht vorhaben«.

Auf den Bahamas gibt es eine Horde schwimmender Schweine.

Die Wahrscheinlichkeit, bei Kniffel mit einem Wurf einen Kniffel zu werfen, beträgt 1 : 1296 oder auch 0,077160 Prozent.

In *Karate Kid* geht es um Kung-Fu.

Wenn ein Blitz in Sand einschlägt, entstehen durch die hohe Temperatur von 30 000 Grad Celsius längliche Röhren aus Glas. Diese heißen Fulgurit.

In Berlin gibt es den »Club der Freunde der Zahl Pi«. Um Mitglied zu werden, muss man die ersten 100 Nachkommastellen von Pi auswendig auf eine möglichst originelle Art vortragen können. Die Mitglieder treffen sich regelmäßig.

Sigmund Freud nahm regelmäßig Kokain gegen Verdauungsstörungen.

Bob Marley soll angeblich zwischen 22 und 46 leibliche – uneheliche und eheliche – Kinder gehabt haben.

Der Ausruf »Prost« beim Trinken bedeutet auf Rumänisch »dumm«.

Der meerschweinchengroße Klippschliefer ist nahe mit dem Elefanten verwandt.

Eine »hinkende Ehe« ist eine Ehe, die nach der Rechtsordnung eines Staates wirksam ist, nach der eines anderen Staates jedoch nicht.

01.01 ist die Zolltarifnummer für lebende Pferde, Esel, Maultiere und Maulesel.

Der Begriff »Kreißsaal« kommt vom Verb »kreißen«, »Wehen haben«, »gebären«, das auf das mittelhochdeutsche »krizen« zurückgeht, was »kreischen« oder »schreien« bedeutet.

In Italien ist es eine Straftat, eine Kuh zu überfahren.

Woher hat die Quertz-Tastatur wohl ihren Namen? Die ersten sechs Buchstaben in der obersten Buchstabenreihe verraten es.

Das kürzeste Lied der Welt dauert nur eine Sekunde und ist von der Band Napalm Death: »You suffer«.

In Afrika werden jährlich etwa 16 Millionen Maggi-Würfel verkauft.

Seit 1969 ist es in Deutschland nicht mehr verboten, mit Tieren Sex zu haben.

Der Engländer wird scherzhaft Tommy genannt, weil bereits 1815 die Musterbögen für die Aufnahme der Personalien von englischen Infanteristen und Kavalleristen den Namen Thomas Atkins aufwiesen, vergleichbar mit dem deutschen Max Mustermann.

Cher Ami († 1919) war eine berühmte Brieftaube des United States Army Signal Corps in Frankreich zur Zeit des Ersten Weltkrieges.

Auf der Website des FBI gibt es eine Rubrik »Fun & Games«.

Der Darm ist beim erwachsenen Menschen circa acht Meter lang und besitzt wegen der feinen Darmzotten eine Oberfläche von etwa 400 bis 500 Quadratmetern.

> **Wenn man an einer Kreuzung mit vier gleichberechtigten Straßen steht, muss man als Linksabbieger am längsten warten.**

Das Model vom Internetanbieter Alice heißt Vanessa Hessler.

Die Lager rund um das Dorf von Asterix und Obelix heißen Kleinbonum, Babaorum, Aquarium und Laudanum. Das Dorf selber, in dem Asterix und Obelix wohnen, hat jedoch keinen Namen.

Sowohl Regenwürmer als auch Schnecken werden als Zwitter geboren. Sie benötigen trotzdem zur Paarung ein weiteres Tier ihrer Art.

Buckelwale können ertrinken.

Die Bevölkerung der USA macht etwa 6 Prozent der Weltbevölkerung aus, braucht aber rund 60 Prozent aller Ressourcen auf.

Grottenolme müssen nur alle drei bis sechs Jahre essen.

Nach Artikel 27 der liberianischen Verfassung dürfen nur Schwarze (»persons who are Negroes or of Negro descent«) die Staatsbürgerschaft erlangen.

Eine Pizza von Pizza-Hut ist weltweit immer sieben Minuten bei 236 Grad Celsius im Ofen.

Kamehameha war der Name von fünf ehemaligen Königen des heutigen US-Bundesstaates Hawaii.

Das lateinische Wort »urinator« heißt übersetzt »Taucher«.

Seitdem im Jahr 2008 im *British Journal of Psychiatry* Fälle beschrieben wurden, in denen Patienten überzeugt waren, sie seien Hauptdarsteller einer Reality-Show, gibt es den »Truman-Show-Wahn«.

An der 1 142 905 318 634. Nachkommastelle von π(Pi) findet man laut Yasumasa Kanada wieder die Folge 314159265358.

Der menschliche Körper enthält normalerweise genügend Eisen, um daraus eine Stange zu fertigen, die stark genug wäre, um ebendiesen Körper zu tragen.

Eine Durchschnittsperson macht 23 000 Atemzüge pro Tag.

Bei 146 340 000 km/h erscheint eine rote Ampel durch den Dopplereffekt grün.

Die Thomaskirche in Leipzig hat mit einem Winkel von 63 Grad das steilste Kirchendach Europas.

In Amsterdam gibt es eine Kas-Bank.

Während der Besiedlung Australiens und Neuseelands ankerten Schiffe etwas weiter vor der Küste, um keine Ratten einzuschleppen. Nur: Ratten können bis zu 400 Meter weit schwimmen.

Das Jugendwort des Jahres 2010 ist »Niveaulimbo«.

Die Abtretung des heutigen Stadtteils St. Pauli an die Stadt Hamburg ist einem Besäufnis zu verdanken. Abgefüllt von der Bürgermeistersfrau unterzeichnete Graf Otto von Schauenburg 1429 die Urkunde, nachdem besagte Frau dem Berauschten zugeredet hat.

Beim Seepferdchen kümmern sich die Männchen um den Nachwuchs.

Die 326 Apple Stores haben pro Vierteljahr mit 60 Millionen Kunden mehr Besucher als die vier größten Disney-Themenparks im Jahr 2010 zusammen.

Für die Dreharbeiten des Films *Scream* (1996) wurden knapp 210 Liter Filmblut vergossen.

Am 9. Dezember ist internationaler Anti-Korruptions-Tag.

Ein Tag hat keine 24 Stunden, sondern 23 Stunden 56 Minuten und 4,1 Sekunden.

Jeder fünfte US-Teenie besitzt ein iPhone.

Zahl der Buchtitel dieser Welt: etwa 129 864 880.

In Frankreich bringt nicht wie bei uns der Osterhase an Ostern die Eier, sondern die Osterglocke.

Das Guinnessbuch der Rekorde hält den Rekord darin, am meisten aus Bibliotheken gestohlen zu werden.

Sauberes Seewasser und Darmsaft haben den gleichen pH-Wert: 8,3.

Als Raumfahrer gilt nur, wer sich mindestens 100 Kilometer von der Erdoberfläche entfernt hat.

Ein Maiskolben hat im Durchschnitt 800 Körner in 16 verschiedenen Reihen.

Jährlich erkranken etwa 100 Leute in Jerusalem am Jerusalem-Syndrom. Sie fangen an, sich plötzlich vollkommen mit einer heiligen Person aus der Bibel zu identifizieren.

Um in den Himmel auffahren zu können, hätte der auferstandene Jesus eine Geschwindigkeit von 40 320 km/h erreichen müssen.

Das erste Lied auf MTV war »Video Killed The Radio Star« von The Buggles.

Prof. Dr. Max Lüscher fand in Kanada heraus, dass männliche Enten, die unter rotorangenem Licht aufwachsen, ein mehr als doppelt so schnelles Hodenwachstum haben als solche, die unter hellblauem aufwachsen.

Bei der Lufthansa werden nur solche Bewerber für die Pilotenausbildung zugelassen, die weniger als fünf Punkte in Flensburg haben.

Ludwig XVI. ist der Urenkel von Ludwig XIV.

Alle Lieder auf dem Soundtrack des Films *Batman Begins* aus dem Jahr 2005 tragen die Namen von Fledermausgattungen.

Der Gruselklassiker *City of the Living Dead* aus dem Jahr 1980 heißt in der deutschen Version *Ein Zombie hing am Glockenseil*.

Ein Erwachsener läuft durchschnittlich 256 Meter pro Tag. Ein Kind kommt dagegen durch Springen und Toben etc. auf ganze zehn Kilometer.

In vielen amerikanischen Filmen sind die Straßen nass. Der Grund: Angeblich sieht das besser aus. Daher fährt vor dem Dreh ein Lkw mit Sprinkelanlage die Straßen entlang und befeuchtet sie.

Wer in Nordkorea mit dem Handy telefonieren möchte, braucht eine Sondergenehmigung, sonst riskiert er die Todesstrafe.

Das Wort »Plural« besitzt selbst keinen Plural.

Die Roben für Richter, Staatsanwälte und Rechtsanwälte werden in der JVA Straubing von den Insassen angefertigt.

Im Durchschnitt kommt alle 4,2 Minuten auf der deutschen Wikipedia-Seite ein neuer Artikel hinzu.

Befinden sich in einem Raum mindestens 23 Personen, dann ist die Chance, dass zwei oder mehr dieser Personen am selben Tag (ohne Beachtung des Jahrganges) Geburtstag haben, größer als 50 Prozent.

Der Spruch »Mein Name ist Hase, ich weiß von nichts« geht auf Victor von Hase zurück, der bei einer Gerichtsverhandlung 1854 auf die Frage des Richters ebendiesen Satz sagte.

Der Bruder des Schauspielers Leslie Nielsen war zwischen 1984 und 1986 Vizepremierminister und Verteidigungsminister von Kanada.

Ein Apfelbaum kann über 100 Jahre lang Äpfel produzieren.

Das 1999 vorgeschlagene und vom Landtag von Mecklenburg-Vorpommern im Januar 2000 beschlossene Rindfleischetikettierungsüberwachungsaufgabenübertragungsgesetz ist der längste amtliche Kurztitel eines deutschen Gesetzes.

Die einzigen zwei Städte der Welt mit einem Ausrufezeichen im Ortsnamen sind Saint-Louis-du-Ha! Ha! in Kanada und Westward Ho! in England.

Es dauert 194 Stunden und zwölf Minuten, wenn man mit dem Zug von Paris nach Peking fahren möchte.

Der erste Führerschein der Welt wurde am 1. August 1888 zugelassen.

Dumbo, der kleine fliegende Elefant aus dem gleichnamigen Walt-Disney-Film, ist der einzige Titel-Charakter, der kein einziges Wort spricht.

In Österreich kann man Strafzettel von der Steuer abschreiben.

Das schwerste, bestätigte Hagelkorn mit 1,02 Kilogramm fiel am 14. April 1986 in Gopalganj/Bangladesch.

Die Menge an Strom, die in Las Vegas in einer einzigen Nacht verbraucht wird, könnte ein amerikanisches Einfamilienhaus vier Jahre lang mit Strom versorgen.

Super Mario ist Ehrenmitglied der italienischen Klempner-Gemeinschaft.

Coca-Cola light ist nicht dasselbe wie Coca-Cola Zero. Der Unterschied liegt im Geschmack. Laut der Lebensmittel-Zusatzstoffe enthält Coca-Cola Zero anders als Coca-Cola light keine Zitronensäure.

Am 6. Mai 2011 war Anti-Diät-Tag.

Nilpferde heißen eigentlich Flusspferde. Denn die am Nil heimischen Flusspferde sind schon vor etwa 200 Jahren ausgestorben. Heute gibt es Flusspferde nur noch im mittleren und südlichen Afrika.

*Auf Kuba steht das Wort »Papaya« nicht für die Frucht, sondern gilt als
eine obszöne Bezeichnung für »Vagina«.*

König Bhumibol Adulyadej, Rama IX von Thailand hat seine eigenen königlichen Hausschuhe, genannt Chalong Phra Bat Choeng Ngon.

Der amerikanische Teenager verschickt jeden Monat durchschnittlich
2272 SMS.

In Nebraska können Eltern bestraft werden, wenn ihre Kinder während eines Gottesdienstes rülpsen.

Die meisten Katzen haben eine Laktoseintoleranz.

**1936 ging in Guam ein Fischregen nieder, in dem Schleien fielen,
die es nur in Europa gab und gibt. Dies lässt sich aber erklären. Es
war sehr heiß und so erhitzte sich auch das Wasser. Die Fischeier
stiegen in die Luft auf und die Tiere schlüpften, als es regnete.**

Die walisische Stadt Llanfairpwllgwyngyllgogerychwyrndrobwllllantysilio-
gogogoch ist die Partnerstadt von Ee (Niederlande) und Y (Frankreich).

Wenn ein Schüler/Student nach der Bitte um Erlaubnis eines Toilettengan-
ges ein ausdrückliches Verbot erhält, handelt der Lehrer/Professor/Assis-
tent vorsätzlich, da er zumindest billigend in Kauf nimmt, dass der Schü-
ler/Student in die Hosen macht. Somit nimmt der Professor/Assistent/
Lehrer die damit einhergehenden Demütigungen und psychischen Verlet-
zungsfolgen zumindest mit Eventualvorsatz in Kauf. Sollte sich ein Profes-
sor/Assistent/Lehrer damit verteidigen, er sei davon ausgegangen, der
Schüler/Student hätte bis zum Stundenschluss/Prüfungsende aushalten
können, so ändert dies nichts an dem Vorsatz der Körperverletzung.

In Brasilien gibt es mehr Schönheitschirurgen als in ganz Europa.

Skorpione können 200-mal mehr Radioaktivität ertragen als Menschen.

Brad Pitt verlebte seine ersten Jahre in Springfield/Missouri.

Die Autos der Marke DAF können dank ihres Variomatic-Getriebes theoretisch rückwärts genauso schnell fahren wie vorwärts.

Der vollständige Name der Figur Mr. Burns aus der Serie *Die Simpsons* lautet Charles Montgomery »Monty« Plantagenet Schicklgruber Burns.

»Argentinien« hat dieselben Konsonanten wie »Regentonne«.

Der Name Berlin stammt von der altslawischen Bezeichnung »berl« ab und bedeutet »Sumpf«.

Eine Kopie der *Simpsons*-Folge, in der Homer ins Weltall fliegt, ist auf der ISS für die dort stationierten Astronauten zum Anschauen hinterlegt.

1 Prozent der Weltbevölkerung geht pro Tag bei McDonald's essen.

Der bekannteste lokale Radiosender im Umkreis des AKW Grohnde heißt Radio Aktiv.

Die höchstgelegene Stadt Deutschlands Oberwiesenthal (914 m ü. NN) liegt nicht etwa in den deutschen Alpen, sondern am Fuß des Fichtelberges in Sachsen.

In Amerika werden bei Hinrichtungen mit der Giftspritze sterile Nadeln benutzt, da der Gefangene, falls er es überleben sollte – was angeblich schon dreimal vorgekommen ist –, den Staat verklagen kann, sofern er sich dadurch eine Infektion zuzieht.

Seit dem 1. Januar 2011 ist die Hexerei in Rumänien ein legaler Beruf und somit steuerpflichtig.

Dr. Oetker heißt August mit Vornamen.

> **In Nordkorea gibt es einen Feiertag, der sich »Tag der Luftwaffe«**
> **nennt. Er findet jedes Jahr am 20. August statt.**

Wenn man ein DIN-A4-Blatt 50-mal falten könnte, würde dieser Turm bis zu Sonne reichen, da sich seine Höhe jedesmal verdoppelt.

Viele Biber sterben, weil sie von Bäumen erschlagen werden.

In den USA ist der Privatbesitz von Mondgestein verboten.

Steven Seagal ist nicht nur ein knallharter Schauspieler, sondern auch geweihter Priester der Omoto.

Cristiano Ronaldo verdient im Schlaf 41 Cent pro Sekunde.

Die Chance, im Lotto zu gewinnen, ist so hoch wie die Wahrscheinlichkeit, dass, wenn man hier auf der Straße ein Handy findet, damit nach Australien fliegt und dort an irgendeiner Haustür klingelt, dann genau der richtige Handybesitzer die Tür öffnet.

Heißes Wasser gefriert schneller als kaltes Wasser, weil vom heißen Wasser eine größere Menge verdunstet als vom kalten. Je geringer die zu frierende Menge Wasser ist, desto weniger Energie wird benötigt.

Auf Finnisch bedeutet »pussi« »Tüte«. Daher finden sich dort im Supermarkt Kartoffelchipstüten, auf denen »minipussi« oder »megapussi« steht, je nachdem, ob es sich um eine kleine oder große Tüte handelt.

Der Pauli-Effekt bezeichnet das anekdotisch dokumentierte Phänomen, dass in Gegenwart des bedeutenden theoretischen Physikers Wolfgang Pauli ungewöhnlich oft experimentelle Apparaturen versagten oder sogar spontan zu Bruch gingen.

Wer bei der kostenlosen Husten-Hotline (0800 0007178) anruft und in den Telefonhörer hustet, erhält eine Diagnose, um welchen Husten es sich handelt.

Kinder unter vier Jahren können nicht vom Gähnen angesteckt werden.

Der deutsche Synchronsprecher von Gregory House aus der Serie *Dr. House* heißt Klaus-Dieter Klebsch und verkörpert in *Anna und die Liebe* Bruno Lanford, den kreativen, ehrgeizigen, launischen Chef einer Modefirma.

Die zehnmillionste Stelle von Pi ist 7.

Wenn man auf Hawaii lebt und kein Boot besitzt, macht man sich strafbar.

In dem Lied »Tripping« von Robbie Williams kommt nicht ein einziges Mal das Wort »Tripping« vor.

Sperma hat etwa fünf Kalorien pro Portion. Die stammen von Proteinen inklusive Enzymen und Zucker, mit deren Hilfe die Spermien schneller schwimmen.

Bunga Bunga ist eine Bezeichnung für ungewöhnliche, teils auch ungewollte Sexualpraktiken.

Auf dem letzten Bild, das John Lennon lebend zeigt, ist er mit seinem Mörder, Mark David Chapman, zu sehen, als dieser sich von Lennon eine Schallplatte signieren ließ.

Mit einer 80 Zentimeter dicken Geleemasse (z. B. aus geschmolzenen Gummibärchen) lässt sich eine Pistolenkugel in den Stillstand bremsen.

In Heidelberg wurde 2007 das Schulfach »Glück« eingeführt.

Eine Frau aus England musste in 2,5 Jahren 2,7 Millionen Mal niesen. Bei jedem Niesen entwichen etwa sechs Liter Luft aus ihrer Lunge. Mit der Luft, die sie bei diesem Nies-Rekord ausblies, hätte man acht Heißluftballons füllen können.

John Keogh aus Hawthorn, Victoria/Australien, meldete das Rad 2001 zum Patent an. Er und das australische Patentamt, das ihm das Patent #2001100012 ausstellte, erhielten dafür den Ig-Nobelpreis für Technik 2001.

Die Konservendose wurde vor 200 Jahren erfunden.

Der Azteken-Herrscher Montezuma hatte einen Neffen, Cuitlahac, dessen Name so viel wie »Ein großer Haufen Scheiße« bedeutete.

Das Kaspische Meer ist ein See.

Die Hauptstadt der Isle of Man ist Douglas.

Benjamin Blümchen ist ein Afrikanischer Elefant.

Die Abkürzung RB Leipzig heißt RasenBallsport Leipzig.

> **Am letzten Montag des Januars feiert man in den USA den Ehrentag der Luftpolsterfolie (Bubble Wrap Appreciation Day).**

Der letzte Tag im Outlook-Kalender ist Donnerstag, der 29. Juli im Jahr 4500.

Jeder Mensch besitzt durchschnittlich 60 000 verschiedene Dinge.

Der älteste bekannte Witz der Welt stammt aus Mesopotamien aus den Jahren zwischen 1900 und 1600 v. Chr.

Die Sturmgeräusche im Film _Twister_ (1996) entstanden, indem man Kamelbrüllen verlangsamt abspielte.

In Gambia findet jeden letzten Samstag im Monat der sogenannte Cleaning Day statt. Jeder Bürger ist dann dazu aufgerufen, sein Haus, seine Wohnung, aber vor allem auch öffentliche Einrichtungen zu putzen.

Bei Lüftungskanälen zeigen die Schrauben am Rahmen die Luftrichtung an.

Der Zahnstocher ist das am häufigsten von Amerikanern verschluckte Objekt.

Frauen durften erst ab dem Jahr 2000 an den Olympischen Spielen im Stabhochsprung teilnehmen.

Marilyn Monroe hatte angeblich sechs Zehen an einem Fuß.

Die Sendung _Grey's Anatomy_ wurde nach dem Anatomiebuch _Gray's Anatomy of the Human Body_ benannt, dessen Erstauflage 1858 erschien.

Unsere Füße tragen uns durchschnittlich viermal in unserem Leben um den Globus.

**Das erste Patent für einen Scheibenwischer wurde von Mary Anderson 1903 angemeldet. Es gab jedoch keine Firmen, die den manuell betriebenen Wischer in Serie produzieren wollten, erst nach Auslauf des Patentschutzes im Jahre 1920.**

Die Flugnummer des Fluges, mit dem die deutsche Nationalelf nach Südafrika flog, war 2010.

Quentin Tarantino ist Legastheniker.

Der Vatikanstaat hat eine Fläche von etwa einem halben Quadratkilometer.

Seit 1934 existiert ein
Gesetz, dass das Ungeheuer
von Loch Ness - fuer den
Fall dass es existiert -
unter Naturschutz stellt.

Fairview, die Gemeinde, in der die Serie *Desperate Housewives* spielt, existiert 288-mal in den USA und einige Male in Kanada, sogar einmal auf den Philippinen und einmal in Südafrika.

Madonna bekam zu ihrer Trauung mit Guy Ritchie zwei Rollen Klopapier geschenkt als Symbol für die Liebe: lang, weich, widerstandsfähig.

Ein frisch geborenes Kängurujunges wiegt bei der Geburt 0,75 Gramm und ist etwa 2,5 Zentimeter groß.

Das Wort »Tohuwabohu« stammt aus dem Alten Testament.

Die Salami tauchte erstmals in einem Kochbuch des Jahres 228 v. Chr. auf.

In dem Film *Chapter 27* geht es um Mark David Chapman und wie er John Lennon ermordete.

Popel haben immer einen etwas salzigen Geschmack.

Der Südbahnhof in Budapest befindet sich nicht südlicher als der Ostbahnhof, jedoch westlicher als der Westbahnhof.

Wenn man die Augen beim Niesen offen lässt, könnte es theoretisch passieren, dass sie herausfallen.

Die Polizei der schwedischen Stadt Malmö musste 2005 ein Seniorenheim aus der Belagerung betrunkener Elche befreien. Die Tiere hatten vergorenes Obst gefressen und waren in alkoholisiertem Zustand aggressiv geworden.

Im 18. Jahrhundert trugen feine Leute falsche Augenbrauen aus Mäusefell.

Onomatopoesie ist der sprachwissenschaftliche Fachausdruck für Lautmalerei.

Der Satz »Vitaler Nebel mit Sinn ist im Leben relativ« lässt sich von vorne ebenso lesen wie von hinten.

Laut einem baden-württembergischen Institut für Tierforschung können nen Elefanten länger als 40 Sekunden furzen, ohne Pause zu machen.

Durch häufiges Lachen kann die Herzinfarktgefahr halbiert werden.

Wenn man in der Google-Bildersuche 241543903 eingibt, erscheinen Menschen, die ihren Kopf in Kühlschränke stecken.

Bereits auf der ersten Milka-Schokoladen-Verpackung von 1901 war eine Milka-Kuh zu sehen, allerdings in Schwarz-Weiß.

Sylvester Stallone wurde per Zangengeburt auf die Welt gebracht. Teile seiner Gesichtsmuskeln wurden dabei so beschädigt, dass diese seither gelähmt sind.

CSI Miami wird zu großen Teilen in Los Angeles gedreht.

Hobbits messen ihre Distanzen in Pfeiffenlängen.

Auf Wunsch von Muhammad Ali, der nicht wollte, dass »Leute auf meinem Namen herumlaufen, die keinen Respekt vor mir haben«, wurde sein Stern auf dem Walk of Fame 2002 als bisher einziger nicht auf eine Gehwegplatte eingelassen, sondern befindet sich an einer Wand.

Kopi Luwak – der teuerste und seltenste Kaffee der Welt – kommt aus Indonesien.

2012 tritt Freitag der 13. dreimal ein.

Der ehemalige Reichskanzler Otto von Bismarck aß jeden Tag mindestens neun und teilweise bis zu 24 harte Eier.

Donald Duck heißt in Schweden »Kalle Anka«.

Das Pferd von Aschenbrödel im Winter-Schnee-Kultfilm *3 Nüsse für Aschenbrödel* hieß Kalif und war hauptberuflich das Voltigierpferd der Betriebssportgemeinschaft der DEFA in Babelsberg.

Die Brettspielproduzenten Parker Brothers lehnten das Kultspiel »Monopoly« anfangs ab, unter anderem wegen dem Fehlen eines Zielfeldes.

Nachdem der Bau des ersten australischen Kernkraftwerks 1971 aufgegeben wurde, dient das Gelände heute als Parkplatz.

Der Ochsenfrosch ist das einzige Tier, das nie schläft. Warum und wie er das schafft, konnten Wissenschaftler bisher noch nicht herausfinden.

Eine Studie besagt, dass Männer, deren Ringfinger länger sind als deren Zeigefinger, in der Regel attraktiver sind und besser bei den Frauen ankommen.

1950 wurde in den USA die Verbreitung jeglichen Materials über den britischen Robin Hood verboten. Begründung: Beraubung der Reichen zugunsten der Armen sei Kommunismus.

Wenn man acht Jahre, sieben Monate und sechs Tage lang ununterbrochen schreien würde, hätte man damit genug Energie erzeugt, um eine Tasse Kaffee kochen zu können.

Das menschliche Gehirn hat eine Speicherkapazität von etwa 10 000 000 000 GB, sprich 10 hoch 10 GB.

Die Kontaktlinse wurde 1887 von dem deutschen Augenarzt Adolf Fick erfunden.

Briefmarkenkunde nennt man Philatelie.

Multipliziert man 21 978 mit 4, lautet das Ergebnis 87 912 – die gleiche Zahl in umgekehrter Reihenfolge

> **Eine nicht identifizierte Leiche wird in den USA zunächst John Doe genannt.**

Der Bierkrug heißt im Kosovo »krikëll«, was sich vom bayerischen »Krügerl« herleitet.

In Japan steht eine Nachbildung des Eiffelturms – der Tokyo Tower –, die 34 Meter höher ist als das Original.

In der Gerechtigkeitsgasse in Zürich sind acht Rechtsanwälte registriert.

Die Beatles haben das Wort »Love« 613 Mal in ihren Liedern gebraucht.

Die einzige Frau, die jemals einen Grand Prix gewonnen hat, war damals ein Mann: Mike Duff, heute Michelle Duff.

Langnese heißt nur in Deutschland Langnese, z. B. in Irland heißt es HB oder in Spanien Frigo. Nur das Logo wird beibehalten.

35 Prozent aller Statistiken sind frei erfunden.

Der Erfinder von Coca-Cola war Apotheker.

In Oklahoma wurde im Jahr 2000 ein Mädchen wegen Hexerei aus dem Unterricht verbannt.

In den USA wird es oft vermieden, ein Stockwerk als 13. in einem Gebäude zu bezeichnen. Stattdessen folgt häufig direkt das 14. auf das 12. oder es gibt ein Stockwerk 12A.

Studien zufolge furzt man/frau durchschnittlich siebenmal am Tag.

Die Daily Soap Anna und die Liebe *sollte eigentlich »Alles nur aus Liebe« heißen, der Name wurde aber nicht genommen, weil die Abkürzung das Wort »anal« ergäbe.*

Eintagsfliegen können bis zu zwei Wochen alt werden.

Um nach der Muttermilch Eukalyptusblätter als Nahrung zu vertragen, müssen Koalabärbabys ein kotähnliches Sekret ihrer Mutter essen.

In München gibt es eine Straße, die Killerstraße heißt.

Das Öffnen eines BHs mit dem Mund verbrennt 87 Kalorien.

In den asiatischen Ländern hat sich die durchschnittliche BH-Körbchengröße von A in den Achtzigern zu C in den Neunzigerjahren gesteigert.

SpongeBob wurde am 14. Juli 1986 geboren, ist also 19 Jahre alt. Das steht in seinem Führerschein, der in der Episode »Sleepy Time« zu sehen ist.

Cafeteria ist der Name einer zoologischen Gattung von bakerienfressenden Einzellern.

Karl V., der Kaiser des Heiligen Römischen Reichs Deutscher Nation, litt an Hämorriden, was ihm das Reisen zu Pferde zunehmend unerträglich machte, sodass der auch von Asthma Gequälte in seinen letzten Jahren der Regierung nur noch in Kutschen fahren konnte.

1916 fand in Norwegen eine Volksabstimmung über das Verbot von Alkohol statt – Ergebnis: ja. Elf Jahre später eine weitere über die Aufhebung dieses Verbots – Ergebnis: ja.

In Bayern existierte bis April 1958 eine Bierpreisbindung, vergleichbar der heutigen Buchpreisbindung in Deutschland.

Shakespeare hat alles in allem 884 647 Wörter publiziert, es gab 31 534 verschiedene, und nur 14 376 Wörter hat Shakespeare einmal verwendet. Die Arbeit, dies herauszufinden, tat sich übrigens Marvin Spivack 1986 an.

Die auf unserer Haut lebenden Mikroorganismen machen zwei Kilogramm unseres Gewichts aus.

»Gift« bedeutet auf Dänisch »verheiratet«.

Eine Gruppe von ausschließlich weiblichen Studierenden wird Studentinnen genannt, tritt aber zu einer solchen Grupe ein einziger Mann hinzu, so wird die ganze Gruppe als Studenten bezeichnet.

Johnny Depp spielt Gitarre (Slide-Guitar) in dem Oasis-Song »Fade In-Out« auf dem Album »Be Here Now« von 1997.

Der Begriff »Fotzhobel« steht im Duden und ist ein Synonym für Mundharmonika.

In 22846 Norderstedt gibt es eine Straße mit dem Namen »Beamtenlaufbahn«.

Seepocken haben das längste Geschlechtsorgan aller Tiere verglichen mit ihrer Körpergröße.

Für Erwachsene ist der Konsum von zehn Esslöffeln reinem Kochsalz tödlich.

Mill Ends Park ist der kleinste Park der Welt. Er befindet sich in Portland/Oregon und hat einen Durchmesser von 60 Zentimetern. Seit 1976 ist der Grünfleck ein offizieller Park der Stadt Portland.

Der Erfinder des Buchdrucks, Johannes Gutenberg, hieß eigenlich Johannes Gensfleisch von Sorgenloch.

Als »Grundbirne« bezeichnet man mancherorts die Kartoffel.

Zum ersten Spiel bei der ersten WM-Teilnahme der Frauenfußballmannschaft von Deutschland reisten sieben deutsche Fans nach China.

Die größte Menschenmenge, die sich je in Australien versammelt hat, traf bei dem Empfang der Beatles in Adelaide zusammen (300 000 Menschen).

Altkanzler Helmut Schmidt ist Ehrendoktor der Helmut-Schmidt-Universität.

Der kommerzielle Durchbruch gelang Chris Rea mit der LP »Water Sign«. Das Bemerkenswerte: Es sind seine Demo-Aufnahmen, die veröffentlicht wurden.

Ein menschliches Herz schlägt von der vierten Schwangerschaftswoche bis zum Ende eines durchschnittlichen Lebens etwa 3 Milliarden Mal.

Jährlich werden über 25 Millionen Bäume für die Herstellung asiatischer Essstäbchen abgeholzt.

Würde man »Abu Dhabi« aus dem Arabischen wörtlich übersetzten, würde es »Vater von Ziege« heißen.

Den Rekord für die am schnellsten erhaltene Rote Karte hält der walisische Amateur-Fußballer Lee Todd. Er reagierte im Jahr 2000 auf den Anpfiff des Schiedsrichters mit den Worten »Fuck me, that was loud« und wurde wegen »foul language« bereits nach zwei Sekunden Spielzeit vom Platz gestellt.

In einer Matratze leben bis zu 1 Million Milben.

Unterkaka ist ein Ortsteil der Gemeinde Meineweh in Sachsen-Anhalt und war die Bezeichnung für die Gemeinde, die aus den Orten Unterkaka, Oberkaka, Zellschen und Schleinitz bestand.

Das fliegende Spaghettimonster, kurz: FSM (flying spaghettimonster), ist die Gottheit des Pastafarianismus. Diese Religionsparodie wurde von einem US-amerikanischen Physiker (Bobby Henderson) gegründet.

Die Frage nach dem Aufenthaltsort von Filmstar Chuck Norris »Where is Chuck Norris« beantwortet Google an erster Stelle mit: »Google won't search for Chuck Norris because it knows you don't find Chuck Norris, he finds you.«

Im Juli 2010 lag der Jugendzeitschrift *Bravo* ein Präservativ als Extra bei: das erste Jugendkondom. Es unterscheidet sich in seiner Größe von normalen Präservativen.

Die Firma Red Bull produziert ihr Getränk Red Bull in Österreich, nur für den amerikanischen Markt wird das Getränk auch in der Schweiz abgefüllt.

Bei einem Ausbruch des Vulkans Yellowstone würde eine Energiemenge frei, die 68 000 000-mal größer wäre als die der Atombombe von Hiroshima und 17 000-mal größer als die der Zar-Bombe.

Der Vokuhila wird in Schweden (und einigen anderen Ländern Europas) »Bundesliga-Haar« genannt.

Als Ägypten Libyen überfiel (13. Jahrhundert v. Chr.), nahmen die Sieger 13 230 Penisse ihrer Besiegten mit.

Der Hoden des Mannes wiegt das Tausendstel seines Körpergewichts.

Wilhelm Conrad Röntgen, der Entdecker der nach ihm benannten Röntgenstrahlung, studierte und promovierte, ohne das Abitur zu haben. Er war von der Schule geflogen.

Um die ersten Modelle des Apple I im Jahr 1976 zu ermöglichen, verkauften Steve Jobs und Steve Wozniak fast buchstäblich ihr letztes Hemd. Jobs setzte seinen VW-Bus ein, für den er immerhin noch 1500 Dollar bekam.

Das einzige Land, das null Geburten im Jahr 1983 verzeichnete, war der Vatikan.

Im Film *The Big Lebowski* wird das Wort »Dude« 161-mal verwendet. »Fuck« oder eine Variation davon 292-mal, und 147-mal sagt der Dude »Man« – das ist fast 1,5 Mal in der Minute.

Albert Einstein soll erst in zweiter Ehe mit dem Zähneputzen begonnen haben.

Der Geißbock, welcher im Wappen des 1. FC Köln abgebildet ist und die Heimspiele des FC vor Ort im Stadion verfolgt, heißt Hennes.

Ein Bleistift hat einen Durchmesser zwischen 0,65 und 0,7 Zentimetern.

Der Ausspruch »toi, toi, toi« kommt daher, dass man früher Glück wünschte, indem man dreimal ausspuckte, um böse Geister zu vertreiben. Da Spucken dann irgendwann als nicht gerade vornehm galt, sagte man nur noch »toi, toi, toi«.

Das Album »Rock ´n´ Roll Realschule« von den Ärzten wurde eigentlich an einem Gymnasium in Hamburg aufgenommen.

»Tank«, die englische Bezeichnung für »Panzer« beruht auf deren Tarnung im Ersten Weltkrieg. Damals haben die Briten die Panzer in riesige Holzkisten verpackt und vorgegeben, es handele sich dabei um riesige Tanks, um sie unkomplizierter verschicken zu können.

Im alten Ägypten wurden die Bauarbeiter der Pyramiden unter anderem mit Knoblauch entlohnt. Als sie diesen einmal nicht erhielten, kam es zum ersten dokumentierten Streik der Geschichte.

Bänderschnecken können bis zu drei Jahre lang schlafen. Dabei leben sie aber nur drei bis vier Jahre.

Der Scheich und Milliardär Hamad Bin Hamdan Al Nahyan hat auf der Insel Al Fuṭaisī in den Vereinigten Arabischen Emiraten seinen Namen in riesigen Großbuchstaben in die Wüste bauen lassen, sodass dieser sogar aus dem Weltall zu sehen ist.

Es gibt tatsächlich eine Versicherung für den Fall, dass jemand von Aliens entführt wird. Wer den Versicherungsbeitrag von 12 Euro bezahlt, erhält im Falle einer Entführung 5000 Euro ausgezahlt.

90 Prozent des Tomatensaftes werden im Flugzeug konsumiert.

Der erste Telefonapparat wurde vom deutschen Physiker Johann Philipp Reis 1861 erfunden. Der allererste Satz, der jemals durch eine Telefonleitung gesprochen wurde, lautete: »Die Pferde fressen keinen Gurkensalat.«

Düsseldorf ist offiziell eine Stadt.

In Russland muss laut Gesetz ein Zug anhalten, wenn neben den Gleisen ein Mensch schläft. Geweckt werden darf der Schläfer aber nicht: Der Zug soll warten, bis er aufgewacht ist.

Wenn man in Tokio von einem Hochhaus springt und auf dem Boden aufschlägt und dabei ein Auto beschädigt, muss man eine Summe von 20 000 Yen als Strafe bezahlen (170,54 Euro).

Das stärkste Tier der Welt ist in Relation zur Körpergröße eine blinde Hornmilbe von unter 1 Millimeter Größe. Das Spinnentier kann fast das 1200-Fache seines eigenen Körpergewichts tragen.

Die musikalische Untermalung der Hochzeit von Marilyn Manson und Dita von Teese in einer irischen Burg lieferte Max Raabe mit seinem Palastorchester.

Tatort-Kommissarin Eva Mattes war als Kind Synchronsprecherin und war die Stimme von Timmy aus *Lassie* und von Pippi Langstrumpf.

Die Deutschlandszenen aus dem Film *Hilfe, die Amis kommen* von 1985 wurden komplett in Italien (Südtirol) gedreht.

Honig kann aufgrund seines hohen Zuckergehalts nicht schimmeln.

Nur Jahre, die mit einem Donnerstag beginnen und/oder enden, haben 53 Wochen.

Aufgrund einer Kalenderumstellung im Jahr 1712 gab es in Schweden in diesem Jahr einen 30. Februar.

Der Rhein ist insgesamt ab Konstanz rund 1,2 Kilometer kürzer, als die Kilometerzahl an der Mündung ausweist.

Erdbeeren sind keine Beeren, sondern zählen zu den Sammelnussfrüchten. Die kleinen Nüsschen an der Oberfläche sind die eigentlichen Früchte der Erdbeere.

Die Maximalgeschwindigkeit der Galapagosschildkröte (Geochelone nigra) beträgt 0,32 km/h.

Die Brüder Grimm hatten wohl etwas gegen Prinzessinnen und Prinzen. Da die Begriffe Lehnwörter aus dem Französischen sind, haben sie diese aus nahezu all ihren Märchen entfernt und durch »Königstochter« und »Königssohn« ersetzt.

Neben der Klaustrophobie (Angst vor engen Räumen) gibt es noch die Aulophobie (Angst vor Flöten) oder die Hippopotamomonstrosesquipedaliophobie (Angst vor langen Wörtern). Johnny Depp leidet übrigens unter Coulrophobie (Furcht vor Clowns).

Der österreichische Alpenverein (ÖEAV) hat eine eigene Sektion für Großbritannien und Belgien.

> **Kermit, der berühmte Frosch aus der *Muppet Show*, ist Linkshänder.**

1964 wurde der 1 000 000. Gastarbeiter in Deutschland mit einem Motorrad belohnt.

In Los Angeles gibt es mehr Autos als Menschen.

Wenn man als Chemiker ein Glas Mineralwasser bestellen will, bestellt man Dihydrogeniumoxid mit Kohlenstoffdioxid in einem Silikat.

Das mit 2,18 Sekunden offiziell kürzeste Musikvideo der Welt *Collateral Damage* stammt von der amerikanischen Band Brutal Truth. Es besteht aus einem Film von 48 Fotos und wurde 2001 ins Guinnessbuch der Rekorde aufgenommen.

Die Lachsforelle hat nichts mit dem Lachs zu tun, sondern heißt nur so, weil ihr Fleisch aufgrund des Futters von der Farbe her an Lachs erinnert.

Sowohl in einer Folge der Serie *SpongeBob* als auch in einer *Simpsons*-Folge wird ein Gegenteiltag erwähnt.

Größter Wahlbetrug: 1928 gewann der Kandidat für das Präsidentenamt von Liberia 423 000 Stimmen – bei insgesamt 15 000 Wahlberechtigten.

Das längste Fußballspiel der Geschichte dauerte 35 Stunden. 333 : 293 lautete dass Ergebnis einer Benefizpartie zwischen den Cotswold All Stars und Cambray FC in England.

Auf dem schwedischen 20-Kronen-Schein sind Nils Holgerson und die Wildgänse abgebildet.

Kambodscha zeigt auf seiner Nationalflagge deutlich hervorgehoben ein Gebäude, den Tempel Angkor Wat.

In South Carolina/USA sind Terroristen dazu verpflichtet, sich bei den Behörden zu registrieren und dabei anzugeben, was genau sie im Schilde führen. Andernfalls drohen ihnen 25 000 Dollar Strafe und zehn Jahre Gefängnis.

Wenn man von der Bergisel-Schanze in Innsbruck abspringt, kann man hinter den Zuschauern den örtlichen Friedhof sehen.

Das Weihnachtslied »Stille Nacht, heilige Nacht« wird in über 200 Sprachen und Dialekten weltweit gesungen.

Die peruanische Hauptstadt Lima beherbergt das größte Kartoffelforschungszentrum der Welt.

Der Satz »Fürchte dich nicht« findet sich genau 366 Mal in der Bibel.

45 Prozent der Käufer des *Playboys* in Bulgarien sind Frauen.

Der erste König von Griechenland war von 1832 bis 1862 der bayerische Prinz Otto Friedrich Ludwig von Wittelsbach.

In Österreich gibt es eine Backwarenkette mit dem Namen »Der Mann, der verwöhnt«.

Wenn man als Webadresse »Illuminati« rückwärts eintippt und »com« dahintersetzt, landet man auf der Seite des amerikanischen Militärnachrichtendienstes NSA/CSS.

Die »Mensch-ärgere-dich-nicht«-Spielfiguren nennt man Pöppel.

Die Dendrochronologie (griech. dendron = Baum, chronos = Zeit, logos = Lehre) ist eine Datierungsmethode der Geowissenschaft, der Archäologie, der Kunstwissenschaft und der Dendroökologie, bei der die Jahresringe von Bäumen aufgrund ihrer unterschiedlichen Breite mit bestimmten bekannten Wachstumszeiten in Verbindung gebracht werden.

Der Welttag der Meteorologie ist jährlich am 23. März.

Noel Gallagher von Oasis ist eigentlich Linkshänder, spielt aber mit der rechten Hand Gitarre.

Auf Timerio, einer künstlichen Sprache, die nur Zahlen verwendet, heißt »Ich liebe dich« 1-80-17.

Der Rapper Snoop Dogg ist der Neffe von Funklegende Bootsy Collins.

Königin Elisabeths Mann (Philipp) stammt aus Deutschland (Prinz zu Schleswig-Holstein-Sonderburg-Glücksburg), den Namen Mountbatten hat er von seiner Mutter. Der offizielle Nachname der Königsfamilie (also auch von Charles, William etc.) ist Mountbatten-Windsor.

König Ludwig XIV., der Sonnenkönig, hat in seinem ganzen Leben nur dreimal gebadet.

Der erste Stoff, der synthetisch hergestellt wurde, war Urin.

In Neuseeland tragen die Polizisten keine tödlichen Waffen, nur Taser. Falls ein Einsatz Waffengewalt erfordert, muss eine Spezialeinheit angefordert werden.

Das österreichische Geschäft Hofer hat in der Schweiz und Deutschland den Namen Aldi.

Nach einem britischen Gesetz von 1845 war ein Selbstmordversuch ein Kapitalverbrechen, das mit dem Tod durch den Strang bestraft wurde.

Die Wahrscheinlichkeit, dass es in Kalifornien in den nächsten 30 Jahren ein riesiges Erdbeben geben wird, liegt bei 99,7 Prozent.

Wenn ein Lokführer auf seiner Tour mal auf die Toilette muss, wird die daraus resultierende Verspätung als »Verzögerung im Betriebsablauf« bezeichnet.

AUS Mangel an
Friedhofsplaetzen
hat der Buergermeister der
brasilianischen Gemeinde
Biritiba-Mirim 2005 ein
Sterbeverbot fuer die
Einwohner der Stadt erlassen.

> **Das Lied »Mah Ná Mah Ná«, das den meisten aus der *Muppet Show*
> oder der *Sesamstraße* bekannt sein dürfte, stammt ursprünglich
> aus dem italienischen Softporno-Film *Schweden – Himmel und Höl-
> le* (1969).**

Die Japanischen Sandlaufkäfer rennen schneller, als sie sehen können. Das heißt, ihre Laufgeschwindigkeit ist so hoch, dass das Auflösungsvermögen ihrer Augen nicht mehr ausreicht, um die Beute visuell zu verfolgen.

In Berlin werden durchschnittlich 15-mal mehr Baseballschläger verkauft als Bälle.

Silvio Berlusconi arbeitete nach seinem Studium als Staubsaugervertreter.

Die australische Fußballnationalmannschaft nimmt am Asien Cup teil.

Giraffen sind Laubesser und essen beispielsweise Äpfel, die ja nicht wie Blätter aussehen, nur, wenn diese in Scheiben geschnitten werden und dadurch aus Giraffensicht Blättern ähneln.

Eine in der Packungsbeilage von Antidepressiva angegebene Nebenwirkung ist Selbstmord.

José Plácido Domingo Embil kann sogar auf Arabisch singen.

1 Milliarde Sekunden sind genau 31,7 Jahre.

Was haben Menschen, Affen, Fledermäuse und Meerschweinchen gemeinsam? Sie können kein Vitamin C (Askorbinsäure) selbst produzieren, sondern müssen es mit der Nahrung aufnehmen.

Die Hippie-Gruppe Merry Pranksters fuhr in den 1960er-Jahren mit einem bunt bemalten Schulbus durch die USA und veranstaltete sogenannte LSD-Happenings, bei denen die Leute ganz legal die Droge LSD konsumieren konnten.

Mit 75 km/h als Spitzengeschwindigkeit kann der Gepard die Golden Gate Bridge in 1,3 Minuten überqueren.

40 Prozent aller Menschen auf der Erde sind Bauern.

Der Asteroid Nr. 110393 wurde nach der deutschen Rockband Rammstein benannt.

Die Szene in _Dirty Dancing_, als Jennifer Grey und Patrick Swazy die Hebefigur im See üben, wurde im Oktober aufgenommen. Von dieser Szene gibt es keine Nahaufnahmen, da den Schauspielern so kalt war, dass sie blaue Lippen hatten.

In Gräfelfing bei München gibt es eine Straße, die »Bessere Zukunft« heißt.

Von Kotzen nach Pissen sind es 212 Kilometer.

Bei Sportübertragungen wie dem Ski-Abfahrtslauf sind die meisten Fahrtgeräusche auf der Piste nicht echt.

Der höchste nichtvulkanische Berg Siziliens heißt Pizzo Carbonara.

Frauenfußball ist in Deutschland erst seit 1970 erlaubt.

Ein Otto Normalverbraucher braucht pro Toilettengang etwa zwölf Blätter Toilettenpapier.

Japanische Autofahrer können auch ohne Radio Musik hören: Sobald die Fahrer in einigen Straßenabschnitten der Provinz Aichi genau die vorgeschriebene Geschwindigkeit erreichen, erzeugen die Reifen mittels eines besonderen Asphaltprofils die Melodie eines Kinderliedes.

Usbekistan und Liechtenstein sind die einzigen Binnenstaaten der Erde, die ihrerseits nur von Binnenstaaten umgeben sind.

Das Fritz-Walter-Stadion in Kaiserslautern ist eigentlich niemals ausverkauft. Denn der Sitzplatz von Fritz Walter wurde nach seinem Tod nicht mehr zum Verkauf angeboten.

Die Geldautomaten im Vatikan (automatum monetale, Plural automata monetalia) haben eine lateinische Anzeige.

Im Landkreis Nordfriesland gibt es die Gemeinden Poppenbüll und Kotzenbüll.

Rosen haben keine Dornen, sondern Stacheln. Also müsste Dornröschen eigentlich Stachelröschen heißen.

Bei einer Auktion in Frankreich wurden die rund 200 Jahre alten Strümpfe von Napoleon Bonaparte (1769–1821) für 31 250 Euro versteigert.

Der Wahlspruch der Republik Botswana lautet »Pula«, zu Deutsch »Regen«.

*** Der Ländername Iran bedeutet in seiner urspünglichen Form »Land der Arier«.***

Irgendjemand hat ausgerechnet, dass Zuschauer eines zweieinhalbstündigen Films in der Summe bis zu 15 Minuten die Augen geschlossen haben – allein durch natürliches Zwinkern.

William Shakespeare ist an seinem Geburtstag gestorben.

David Nathan ist Synchronsprecher von Christian Bale und Johnny Depp. Da beide im Film *Public Enemies* mitspielen, musste er sich für einen entscheiden. Er sprach die Stimme von Depp.

»Prestissimo« ist eine Tempoangabe für Musiker und bedeutet, dass 200 bis 206 Taktschläge pro Minute zu spielen sind.

> Bei den Makassar-Stämmen wird Verliebtheit mit allen ihren kör-
> perlichen Nebenwirkungen als typisches Phänomen der Jugend,
> sogar als Krankheit angesehen. Betroffene sind überzeugt, deswe-
> gen dringend einen Heiler für eine Therapie dagegen aufsuchen zu
> müssen.

Es wird ausdrücklich darauf hingewiesen, dass man mit den Standardreifen des Bugatti Veyron nicht länger als 15 Minuten über 400 km/h fahren darf.

Das Wort »testify« (bezeugen, beweisen) kommt daher, dass römische Männer im Gericht auf ihre Hoden (testis) schwören mussten.

Pac-Man hieß ursprünglich Puck-Man, dies wurde aber geändert, weil die Gefahr bestand, dass die amerikanische Jugend aus dem P ein F machen würde.

Die Puppen Barbie und Ken sind nach den Kindern ihrer Erfinderin Ruth Handler benannt.

Der Schraubenzieher wurde vor der Schraube erfunden.

Laut WHO (Weltgesundheitsorganisation) hält Verliebtheit maximal drei Jahre an.

Der Name Edeka ist aus der Abkürzung E. d. K. für »Einkaufsgenossen-schaft der Kolonialwarenhändler im Halle'schen Torbezirk zu Berlin« ent-standen.

Wenn man mit der linken Hand eine Faust macht und sich den rechten Zei-gefinger in den Hals steckt, hat man keinen Würgereflex.

Es gibt ein Toilettenpapier, das »Happy End« heißt.

Die Nato macht ihre Zeitangaben in der Zulu-Zeit (Z steht für zero) das ent-spricht der MEZ+1. Während der Sommerzet – MEZ+2 – gilt die Bravo-Zeit.

In der ersten *Star-Trek*-Serie der 1960er-Jahre wurde Teleportation aus Kostengründen eingeführt, um in der Produktion aufwendige und kostenintensive Landesequenzen auf fremden Planeten einsparen zu können.

Damit ein Geschoss von der Wasseroberfläche abprallt, muss man im Winkel von 6 Grad auf das Wasser schießen.

Das kroatische Hum ist mit 23 Einwohnern die kleinste Stadt der Welt.

Bei einigen Haiarten ist der sogenannte Gebärmutterkannibalismus bekannt. Noch vor der Geburt fressen sich die Jungen gegenseitig.

Wenn man die Zahlen von 1 bis 100 addiert, ist die Summe 5050.

Das RGS-14-Gen der Mäuse, das die Lern- und Gedächtnisleistung verschlechtert, wird auch Homer-Simpson-Gen genannt.

Bill Gates besitzt ein dickes Bündel Apple-Aktien.

Christian Wulff ist der zweite nicht evangelische Bundespräsident der Bundesrepublik Deutschland.

Heino ist nicht in der Namenstag-Liste vertreten. Heimo dafür gleich zweimal.

Auf einen Mann kommen in Tadschikistan sieben Frauen.

Der Pathologe Thomas Harvey stahl 1955 bei der Obduktion das Gehirn Albert Einsteins, um es – wie er behauptete – für weitere Untersuchungen seiner womöglich einzigartigen Struktur der Nachwelt zu erhalten.

Eines der Lieblingsgetränke von Magnum in der gleichnamigen US-Serie ist Altbier aus Düsseldorf.

Der Verkauf von Kinder-Überraschung ist in den USA verboten und die Einfuhr durch Privatpersonen wird mit 300 Dollar geahndet, weil Spielzeug in Kombination mit Schokolade als gefährlich für Kinder angesehen wird.

In manchen Flugzeugen fehlt aus Aberglaubem die Sitzreihe 13. Ebenso gibt es in einigen Hotels keine Zimmer mit der Nummer 13.

Der Name für das Nervengift Botox leitet sich aus dem lateinischen Wort »botulus« für »Wurst« ab.

Die lauteste Chipstüte der Welt raschelt mit über 90 Dezibel.

In Bulgarien bedeutet Kopfschütteln »ja« und Nicken »nein«.

Die Bezeichnung für die japanische Mafia – Yakuza – geht auf die Zahlenkombination 8-9-3 zurück, die bei einem japanischen Kartenspiel als völlig wertlos gilt.

Der Fußballverein Akropolis IF befindet sich nicht, wie der Name vermuten lassen könnte, in Athen, sondern in Stockholm.

Ein ausgewachsener Elefant benötigt 250 000 Kalorien pro Tag.

In der Version des Films *Star Wars – Das Imperium schlägt zurück* von 2006 wird Darth Vader von insgesamt drei Sprechern deutsch synchronisiert.

Tick, Trick und Track heißen auf Englisch Huey, Dewey, und Louie.

Das Abendprogramm im Fernsehn fängt auf fast allen Sendern um 20.15 Uhr an, weil das Erste (ARD) als erster Sender Deutschlands die Tagesschau seit jeher von 20 bis 20.15 Uhr zeigt und die Einschaltquoten dabei so hoch sind, dass die anderen Sender ihr Abendprogramm erst danach starten.

> Im Jahr 1995 musste der Start des Spaceshuttle Discovery um einen Monat verschoben werden, weil ein Specht 105 Löcher in die Isolationsschicht des externen Tanks des Shuttles gehämmert hatte.

Orang-Utans, die sich bei der Paarung schwertun, zeigen Primatenforscher Pornofilme. Am stärksten, so die Beobachtung erfahrener Zoologen, reagieren Orang-Utan-Männer auf Menschenfrauen mit langem roten Haar.

Bahnhofsuhren brauchen für eine Umdrehung nur 57 Sekunden, dafür bleiben sie drei Sekunden bei 59 stehen, ehe sie weiterlaufen.

Der Schauspieler und Komiker Mike Krüger wurde während seiner Ausbildung als Betonbauer beim Bau der ersten drei Tunnelröhren des Hamburger Elbtunnels eingesetzt.

Durchschnittlich lacht laut Studienergebnissen ein Deutscher rund sechs Minuten am Tag. Vor 40 Jahren war es noch dreimal so lang. Erwachsene Menschen lachen im Durchschnitt 15-mal am Tag und Kinder 400-mal.

In Portugal gilt als Verkehrstoter, wer tot aus dem Auto geborgen wird oder während der Fahrt zum Krankenhaus stirbt. In Deutschland dagegen gehören noch alle dazu, die binnen 30 Tagen nach dem Unfall sterben.

In der armenischen Sagenwelt gibt es den Gott Alk, der hauptsächlich schwangeren Frauen, ungeborenen Kindern und Kleinkindern schadet.

Die Abkürzung »taff« steht laut Wikipedia für »täglich aktuelles freches Fernsehen«.

Die deutschen Behörden fackelten 2011 nicht lange: Weil Thailand dem insolventen Walter-Bau-Konzern Geld schuldete, kam der Gerichtsvollzieher zum Münchner Flughafen und pfändete eine Boeing des Kronprinzen.

Homer Simpson hat nur eine Niere.

Aufgrund der enormen Reibungshitze verlängert sich die Concorde beim Mach-Flug um etwa 14 Zentimeter.

Ende des 19. Jahrhunderts setzte das Pariser Varieté Moulin Rouge zum ersten Mal »Krankenschwestern« ein, um eventuell bewusstlos werdenden Besuchern Beistand leisten zu können.

Kryptografie, also die Wissenschaft der Verschlüsselung von Informationen, fällt in Amerika unter das Waffengesetz.

22 Wochen ihres Lebens verbringen Männer damit, auf ihre shoppende weibliche Begleitung zu warten.

Der ehemalige US-Präsident George W. Bush nannte 1999 *Die kleine Raupe Nimmersatt* als sein Lieblingsbuch. Die Lektüre habe ihn beim Heranwachsen beeinflusst. Die Aussage führte zu wilden Spekulationen, da das Buch 1969 erschien, als Bush 23 Jahre alt war.

Die Maske von Michael Myers aus den Halloween-Filmen ist eigentlich eine Nachbildung von William Shatners Gesicht, die für eine Folge von *Star Trek* hergestellt wurde.

Carla Bruni wird von ihrem Ehemann, dem französischen Präsidenten Sarkozy, liebevoll »Charlie Brown« genannt.

Eine soziologische Studie fand heraus, dass Oscar-Gewinner im Durchschnitt vier Jahre länger leben als die anderen Schauspieler derselben Filme.

Katzen trinken Wasser nicht, sie beißen es.

Der Candy Desk ist ein mit Süßigkeiten gefüllter Tisch im Sitzungssaal des US-Senats. Der Tisch, der als Arbeitsplatz eines republikanischen Senators dient, steht in der letzten Reihe in der Nähe des Saaleingangs.

In Klagenfurt gibt es einen Verein zur Verzögerung der Zeit. Bei Seminaren wird zum Beispiel folgende Übung gemacht: 100 Meter in einer halben Stunde zurücklegen.

Wenn eine Mücke einen betrunkenen Menschen sticht, hat sie danach die halbe Blutalkoholportion wie das gestochene Opfer.

Die kleinste Fussballliga der Welt liegt auf der winzig kleinen Insel Isles of Scilly, südwestlich von England. Sie besitzt zwei Teams, welche 16-mal gegeneinander spielen und noch drei Cup-Matches austragen.

Slagsmålsklubben ist eine schwedische Elektro-Pop-Band. Der Name ist eine Übersetzung des Titels des Filmes *Fight Club* ins Schwedische.

Die Band Bring Me The Horizon aus England hat ihren Namen aus *Fluch der Karibik*. Jack Sparrow sagt den Satz »Bring me that Horizon«. Die Band tauschte nur das »that« durch »the« aus.

Der Schauspieler der Figur Arthur Spooner aus der Serie *King of Queens* heißt Jerry Stiller und ist der Vater von Ben Stiller.

Einer von mehreren Erklärungen zufolge kommt der Begriff »Cocktail« (aus dem Englischen übersetzt: Hahnenschwanz) daher, dass früher bei Hahnenkämpfen dem unterlegenen Hahn zum Zeichen seiner Niederlage die Schwanzfedern ausgezupft und dem Besitzer des Gewinnerhahnes im Rahmen eines Umtrunks übergeben wurden.

Eine menschliche Standard-Träne wiegt etwa 15 Milligramm.

1000 Liter Luft wiegen (auf Meeresspiegelhöhe) circa 1,3 Kilogramm.

Die USA produziert pro Jahr genug Frischhaltefolie, um Texas komplett zu bedecken.

In Japan ist es unhöflich, einen festen Händedruck zu geben, da dies aggressiv und provozierend wirkt.

Weibliche Hyänen besitzen einen Penis – einen sogenannten Pseudopenis – und sind dominante Rudelführer.

Die Hoden eines Wals wiegen 1 Tonne.

In Armenien wird ab dem Herbst 2011 Schach als Pflichtfach in der Grundschule unterrichtet.

Seit dem Kinostart im August 1999 läuft der Film *Bang Boom Bang*, der im Ruhrpott spielt, ununterbrochen regelmäßig im UCI-Kino in Bochum.

Ameisenhaufen, die an einem Baum angelegt sind, sind immer südlich ausgerichtet.

Der McDrive heißt in Spanien McAuto.

Zwischen dem 15. und 60. Lebensjahr produziert ein Mann insgesamt im Durchschnitt etwa 30 bis 50 Liter Sperma.

Das Herz eines Blauwals ist so groß wie ein VW-Käfer und seine Zunge so schwer wie ein Afrikanischer Elefant.

Schlangen haben zwei Penisse.

Beim Deutschen Wetterdienst werden die Schneedeckenmächtigkeit und die Neuschneehöhe täglich um 7.30 Uhr gemessen.

Deutschland hat eines der dichtesten Autobahnnetze der Welt. Mit seinen mehr als 12 700 Kilometern ist es auch das drittlängste der Welt nach dem Interstate Highway System (75 376 Kilometer) in den Vereinigten Staaten und dem National Trunk Highway System (45 400 Kilometer) in China.

Friedensreich Hundertwassers Manifest gegen den Rationalismus in der Architektur nennt sich Verschimmelungsmanifest.

Am 23. Januar 2011 wurde vom chinesischen Staatssender CCTV ein Beitrag über chinesische Luftwaffenmanöver ausgestrahlt, bei dem Szenen aus *Top Gun* eingeschnitten waren.

Das Phänomen der spiegelverkehrten Anordnung der Organe im Körper heißt »Situs inversus«. Die Häufigkeit des Vorkommens liegt bei etwa 1 : 8000.

In sehr vielen Filmen aus Hollywood kommt ein bestimmter Schrei vor, der sogenannte Wilhelmsschrei.

Das genetisch bedingte Fehlen von Papillarleisten an Händen und Füßen nennt man Adermatoglyphie. Dieser Gendeffekt ist sehr selten, nur in der Schweiz gibt es eine Familie, die seit vier Generationen davon betroffen ist und somit auch keine Fingerabdrücke hinterlässt.

Im Lied »Gimme Hope Jo'anna« forderte Eddy Grant das Ende der Apartheid in Südafrika – der Name Jo'anna im Songtitel bezieht sich nicht auf eine Frau, sondern auf die südafrikanische Metropole Johannesburg.

Russlands Iwan der Schreckliche ließ einen Elefanten töten, weil sich dieser nicht vor ihm verneigt hatte.

Bei Facebook dominiert die Farbe Blau, weil Mark Zuckerberg rotgrünblind ist.

Der Weltrekord im Hochsprung liegt beim Menschen und beim Pferd ziemlich nahe beieinander – Mensch: 2,45 Meter, Pferd: 2,47 Meter.

»Fön« ist ein seit 1908 eingetragener Markenname der Firma AEG, der sich von dem heißen Wind »Föhn« ableitete. Seit der Rechtschreibreform 1996 ist die Schreibung »Föhn« auch für einen Haartrockner zulässig.

Man verbrennt beim Küssen in einer Minute 26 Kalorien. Würde man eine Stunde lang küssen, wären das dann 1560 Kalorien.

Der Junge Dicki aus Loriots Weihnachten bei den Hoppenstedts wird gespielt von einem Mädchen (Katja Bogdanski).

Der krankhafte Drang, Fäkalsprache zu gebrauchen, wird als Koprolalie bezeichnet.

J. R. R. Tolkien hat in seinem Testament ausdrücklich jegliche Verwertung des Romans *Der Herr der Ringe* durch Disney untersagt.

Die fiktive Romanfigur James Bond wurde laut Autor Ian Fleming am 11. November 1920 in Wattenscheid/Ruhrgebiet geboren.

Im Hamburger Hafen gibt es eine Straße mit dem Namen Toller Ort.

»Lol« heißt auf Niederländisch »Spaß«.

Alfred Adler (1870–1937) wurde Arzt, weil er an Thanatophobie litt – der übersteigerten Angst vor dem Tod – und daher immer einen Arzt in seiner Nähe haben wollte.

Ein Duplo und ein Kinder-Riegel sind gleich lang.

In *The Good, the Bad & the Ugly* wird das erste Wort erst nach etwa zehn Minuten gesprochen.

Wer 53 Jahre lang verheiratet ist, feiert Uran-Hochzeit.

Das Wort »Eibohphobie«, die Angst vor Palindromen, also Wörtern, die man vorwärts und rückwärts lesen kann wie z. B. Hannah, Uhu oder Radar, ist selbst ein Palindrom.

In der Schweiz ist es gesetzlich verboten, eine Autotür zuzuknallen.

Das Bemerkenswerte an der »Schiefen Laterne«? Das Grazer Lokal hat einen Eingang in der Jungferngasse und einen Ausgang in der Frauengasse.

Bart Simpson aus der Fernsehserie *Die Simpsons* wird von einer Frau, Sandra Schwittau, gesprochen.

Der Skispringer Jan Matura verfügt trotz seines Namens über keine abgeschlossene österreichische Matura.

Es gibt kein deutsches Wort, das sich auf Orange reimt.

Ab einer Kälte von – 67,7778 Grad Celsius friert der Atem in der Luft und fällt zu Boden.

Der Film *Ace Ventura – Ein tierischer Detektiv* hat eine FSK-Freigabe ab 12 Jahren, obwohl in diesem Film die Death-Metal-Band Cannibal Corpse mit einem in Deutschland indizierten Lied auftritt.

Eigentlich sollte als Zeitmaschine in *Zurück in die Zukunft* gar kein Auto, sondern zunächst ein begehbarer Kühlschrank fungieren. Die Idee wurde allerdings vom Produzenten Steven Spielberg verworfen, weil er Angst hatte, dass Kinder sich dadurch dazu verleiten lassen könnten, in Kühlschränke zu klettern.

In Schweden verbotene Babynamen sind: Ikea, Metallica, Veranda und Google.

Das US-amerikanische Medienunternehmen Clear Channel Communications gab anlässlich der Anschläge vom 11. September 2001 eine Liste mit 166 Liedern heraus, die nicht mehr gespielt werden sollten, darunter auch »Ob-La-Di, Ob-La-Da« von den Beatles.

In der ganzen Welt des Spiels »World of Warcraft« gibt es nur fünf Toiletten.

Die Pflanze Teufelsdreck (lat. Extrementum diaboli), wegen ihrem Geruch nach vergammeltem Knoblauch auch Stinkasant genannt, kann verwendet werden, um Kaninchen und Wühlmäuse vom Garten fernzuhalten. Gleichzeitig soll sie auch ein Bestandteil von Chanel No. 5 sein.

Dank Google-Streetview können Minderjährige und vor allem auch Frauen endlich einen Blick in die berühmte Hamburger Herbertstraße werfen. Die Kamera auf dem Google-Auto war so hoch, dass sie über die Absperrung der Straße fotografiert hat.

Ernie Chambers, ein Abgeordneter des Parlaments in Nebraska, klagte Gott 2007 vor Gericht an, weil dieser unter den Erdbewohnern Angst, Tod und Schrecken verbreitet.

Lady Gagas Fahrräder heißen Henry und Karen.

35 alte PET-Flaschen ergeben einen Fleece-Pulli in Grösse L.

Das Getränk 7 Up wurde 1929 von Charles Leiper Grigg erfunden und hieß zunächst »Bib-Label Lithiated Lemon-Lime Soda«.

Wenn man eine Briefmarke anleckt, nimmt man etwa eine Viertelkalorie zu sich.

Die meisten tropischen Fische könnten in einem Becken mit menschlichem Blut überleben.

In Großbritannien wird bei jeder fünften Scheidung ein Facebook-Flirt als Scheidungsgrund angegeben.

Studenten gehören mit Senioren, Strafgefangenen und Arbeitslosen zu den Hauptrisikogruppen für Vereinsamung.

Clint Eastwood war von 1986 bis 1988 Bürgermeister der kalifornischen Stadt Carmel.

Die Commerzbank hat errechnet: Jahre mit Adels-Hochzeiten brachten Aktien im Schnitt ein Plus von 5 Prozent.

Nicht wegen randalierender Fans, sondern wegen Ballmangels musste die Partie zwischen Mouloudia Oran und OM Ruisseau eine Viertelstunde vor dem offiziellen Ende abgebrochen werden.

Der Popstar Moby ist ein Ururgroßneffe von Herman Melville, dem Autor des Buches *Moby Dick*, daher hat er sich den Künstlernamen Moby gegeben.

Einsamkeit ist eine Insel, gehört zu Russland und liegt in der Karasee.

1997 hatte Microsoft über eine halbe Milliarde Dollar Telefonkosten, um Anfragen von Usern zu beantworten, die Probleme mit der Software hatten – mehr Geld, als für die Entwicklung der Software ausgegeben wurde, deretwegen die Leute anriefen.

Der DJ Paul van Dyk hat das zweitgrößte Meilenkonto bei der Lufthansa. Er fliegt in einem Jahr knapp 16-mal um die Erde.

Das Oberlandesgericht Köln legte sich in einem Urteil aus dem Jahr 2001 auf folgende Definition des Begriffs »Lutscher« fest: »Der Stiel ist wesenstypisches Merkmal des Lutschers. Ohne einen solchen Stiel würde es sich nicht mehr um einen traditionellen Lutscher, sondern vielmehr um ein gewöhnliches Bonbon handeln. Das Besondere und Faszinierende am Lutscher und seit Generationen seine spezifische Attraktivität für Kinder Auslösende ist genau der Umstand, dass der Bonbonteil mit einem Stiel verknüpft ist. Damit handelt es sich bei dem Stiel nicht um eine bloße Handhabungshilfe. Eine solche ist zum Verzehr eines Bonbons – auf den sich das Produkt Lutscher bei Hinwegdenken des Stiels reduzieren würde – auch nicht erforderlich, da sich das Bonbon ohne Weiteres in den Mund stecken lässt. Zusammenfassend lässt sich nach Auffassung des Senats festhalten, dass der Lutscher (Lolly) ohne Stiel kein Lutscher mehr ist.« (OLG Köln, Urteil vom 3. Mai 2001, Az. 1 U 6/01)

In den antiken Ruinen Pompejis/Italien sind kleine Penisse auf dem Boden zu finden, die früher den Weg zum nächsten Bordell wiesen.

Spider Man heißt in Finnland Hämähäkkimies.

Bei dem Mädchen, von dem Nirvana-Sänger Kurt Cobain in »About a girl« singt, handelt es sich um Tracy Marander, seine damalige Freundin.

In Stralsund gibt es eine Unnütze Straße.

In der Ortschaft Aicha vorm Wald zweigt die Fickenhofmühle in den Fickenhof ab.

Tom Cruise gehören 7 000 000 Quadratmeter vom Mond.

Otto Waalkes, Marius Müller Westernhagen und Udo Lindenberg lebten Anfang der 70er-Jahre in Hamburg zusammen in einer WG.

Der Schmelzpunkt des Metalls Gallium liegt bei 29,76 Grad Celsius. Somit schmilzt es schon, wenn man mit seinen Händen daran reibt.

Es gibt einen Fernsehsender namens ServusTV.

Laut österreichischem Urheberrecht, ist es verboten, auf der Straße geschützte Lieder zu pfeifen.

---

98 Prozent aller Infarktpatienten unter 40 Jahren sind Raucher.

Tuvalu verfügt nur über acht Kilometer asphaltiere Straße und ist somit das Land mit den wenigsten Straßenkilometern der Welt.

Die drei Zehen zwischen dem großen und dem kleinen Zehen heißen: Digitus 2, 3 und 4.

Howard (von *Big Bang Theory*), Francis (*Malcolm Mittendrin*) und Chris Turk (*Scrubs*) haben in der deutschen Synchronisation der jeweiligen Serie dieselbe Stimme – die von Sebastian Schulz.

Nutella hat einen Lichtschutzfaktor von 9,7.

Aufgrund seines Verhaltens auf dem Spielfeld nennt man den ehemaligen Weltklasse-Torhüter Oliver Kahn in China »Nuhou Tianzun« – zorniger Himmelsfürst.

Das Philtrum ist die Furche unter der Nase und soll durch die Berührung eines Engels mit dem Zeigefinger entstanden sein.

Die britische Royal Navy gab im Jahr 2000 den Befehl an ihre Soldaten, statt scharfe Munition zu nutzen einfach »Peng« zu rufen, und erhielt dafür den Ig-Nobelpreis für Frieden.

Haribo-Gummibären schmelzen in der Sonne, Haribo-Softbären werden hart.

Namensgeber für die Schattenmorelle ist das französische Dorf Château de Moreilles, das 218 Kilometer nördlich von Bordeaux liegt. Der Dorfname wurde im Laufe der Zeit lautsprachlich ins Deutsche übertragen.

Auf der künstlichen Inselgruppe The World vor der Küste von Dubai wurde 2008 Deutschland an einen Österreicher verkauft.

Eine Taxifahrt von Hamburg nach Paris kostet pauschal 1300 Euro.

Kellerasseln sind Krebse.

Die weltweit größte Papyrus-Sammlung gibt es nicht etwa in Kairo, sondern in der Nationalbibliothek in Wien. 180 000 Objekte, vor allem aus dem alten Ägypten, werden hier konserviert und ausgewertet.

Die krankhafte Überzeugung, dass eine nahestehende Person verstorben sei, obwohl diese tatsächlich noch lebt, heißt Odysseus-Syndrom.

Sogar der Papst twittert. Die erste Nachricht von Benedikt XVI. lautete: »Liebe Freunde, ich habe gerade News.va gestartet. Gepriesen sei unser Herr Jesus Christus. Mit meinen Gebeten und Segen, Benedictus XVI.«

Wenn man eine aufgeschnittene Zwiebel an der Fusssohle reibt, hat man etwa eine Stunde spaeter den Geschmack von Zwiebeln im Mund.

> Britische Agenten haben, nachdem sie ein Internet-Magazin der al-Qaida gehackt hatten, Anleitungen zum Bau von Bomben durch klassische amerikanische Kuchenrezepte ersetzt.

Die Bezeichnung »Teebutter« kommt vom Begriff »Teschner Erzherzögliche Butter«. Von Erzherzog Friedrich von Teschen an den Wiener Hof geliefert, war sie wegen des Fehlens von Buttersäure die erste nicht ranzig schmeckende Butter der Welt.

Graham Barker aus Perth/Western Australia ist laut Guinnessbuch der Rekorde der Rekordhalter für das Sammeln von Bauchnabelfusseln. Er hat seit mehr als 20 Jahren beinahe jeden Tag seit dem 17. Januar 1984 seine Bauchnabelfusseln gesammelt.

Eine Packung Ültje-Erdnüsse (50 Gramm) hat genug Energie, um eine 100-Watt-Glühbirne etwa dreieinhalb Stunden brennen zu lassen.

1471 wurde in Basel ein Hahn angeklagt, weil er angeblich den Naturgesetzen zum Trotz ein Ei gelegt hatte. Gemäß dem Gerichtsurteil wurde er als verkleideter Teufel auf dem Scheiterhaufen verbrannt.

Der Big-Mac-Index vergleicht die Preise des Big Mac in verschiedenen Ländern der Erde. Durch die Umrechnung der inländischen Währungen zum aktuellen US-Dollar-Kurs werden diese untereinander mit einer stark vereinfachenden Methode verglichen.

Bis in die 1960er-Jahre wurden mit dem Krallenfrosch in deutschen Apotheken Schwangerschaftstests durchgeführt – der sogenannte Froschtest –, daher auch der Name Apothekerfrosch.

Die Anopheles-Mücke, auch bekannt als Malaria-Mücke, liebt offenbar Käsefüße. Die Mücke sticht nämlich besonders häufig Füße mit einem entsprechenden Odeur.

Geierabend ist kein Schreibfehler, sondern eine Kabarett-Veranstaltung in der Karnevalszeit im Ruhrgebiet.

Mit den Nahrungsmittelabfällen der größten Stadt Österreichs (Wien) könnte man die zweitgrößte Stadt Österreichs (Graz) komplett mit Essen versorgen.

Jährlich verletzen sich etwa 2000 Franzosen beim Austernöffnen so schwer, dass sie ärztlicher Hilfe bedürfen.

Der Ausdruck »Bonze« bezeichnete ursprünglich einen buddhistischen Mönch oder Priester und stammt aus dem Japanischen.

In Hawaii gibt es fleischfressende Raupen.

Vor 30 Jahren gab es im österreichischen Mutterschaftspass bei »Geschlecht Kind« drei mögliche Ankreuzfelder: männlich, weiblich oder unklar.

Beim Lotto einmal jede Kombination zu tippen würde 107 791 915 Euro kosten.

Die 1617 gegründete »Fruchtbringende Gesellschaft« hatte zum Ziel, Fremdwörter aus der deutschen Sprache zu verbannen und durch deutsche Wörter zu ersetzen.

Menschen essen 600 000-mal häufiger Haie, als Haie Menschen fressen.

I Am 29. Juli 2011 war Tag des Systemadministrators. I

Der längste menschliche Penis misst angeblich 48,5 Zentimeter, der kürzeste gerade einen Zentimeter.

Jeden Tag wird in der amerikanischen Wirtschaft so viel Papier verbraucht, dass man die Erde damit mehr als 20-mal umwickeln könnte.

In 17 Jahren sind sechs Nachbarn von Melvin Switzer aus Kent/England ausgezogen, da dieser 92 Dezibel laut schnarchen konnte.

Der 2011 beschriebene Pilz Spongiforma squarepantsii wurde aufgrund seines schwammähnlichen Äußeren nach der Zeichentrickfigur SpongeBob Schwammkopf (auf Englisch »SpongeBob SquarePants«) benannt.

Die Stadt Oimjakon im Osten Russlands wird statistisch als der kälteste Ort der Welt geführt. Allerdings bedeutet der Name Oimjakon in der Sprache der Einheimischen so viel wie »heiße Quelle«.

Das griechische Mythologie-Wesen Minotauros, welches halb Stier, halb Mensch war, soll gezeugt worden sein, indem seine Mutter Pasiphae in eine Holzkuh kroch und sich vom Stier, in den sie unsterblich verliebt war, begatten ließ.

Die Greencard war bis 1994 rosa.

Im Mittelalter war die Präformationstheorie allgemeingültig, welche Kinder als kleine, unfertige Erwachsene bezeichnete.

Sammy Davis Jr. war der erste Farbige, der im Hotel Sands in Las Vegas übernachten durfte.

Bei der Serie *How I Met Your Mother* steht in der Wohnung von Ted und Marshall immer eine Jägermeisterflasche.

Männliche Putzerfische sorgen dafür, dass ihre Weibchen nicht zu dick werden. Der Grund für die Bevormundung: Bei einer bestimmten Größe wechseln die Weibchen das Geschlecht und werden zu Rivalen.

Wissenschaftliche Studien belegen, dass an einem Montagmorgen nach einer Zeitumstellung mehr Autounfälle passieren als an einem normalen Montagmorgen.

Dem Pilsner entspricht in der Schweiz das Spezialbier. Aufgrund eines Abkommens mit Tschechien darf die Bezeichnung »Pilsner« dort nicht verwendet werden. Im Gegenzug verzichtet Tschechien auf die Bezeichnung »Emmentaler« für Käse.

Bei der Frauenfußballweltmeisterschaft 2011 wurden doppelt so viele Softdrinks wie Bier verkauft.

Der Unterschied zwischen der Ionischen und der Lydischen Tonleiter liegt im vierten Ton.

Luciano Liz Raga war 1905 der erste Spieler, der direkt von Real Madrid zum Erzrivalen Barcelona wechselte.

> **Alkohol vermindert die Konzentrationsfähigkeit und verlängert die Reaktionszeit. Darum ist es ein schwerer Verstoß gegen die Regeln des Square Dance, unter Einfluss von Alkohol zu tanzen.**

Das Wort »Kloster« und »Klosett« haben denselben lateinischen Ursprung und stehen sinngemäß für einen abschließbaren Bereich.

»Trizonesien« war der scherzhafte Name für die drei Westzonen Deutschlands nach dem Zweiten Weltkrieg.

Die erste Super-Mario-Figur bestand aus 144 Pixeln und drei verschiedenen Farben.

Im DFB gibt es etwa 60 Vereine mit dem Namen Borussia. Borussia ist Latein und bedeutet Preußen. Bei Borussia Dortmund ist dies jedoch auf den Namen einer Brauerei (Borussia-Bier) zurückzuführen.

Pferde können vom übermäßigen Schneeessen eine Kolik bekommen und daran verenden.

Baywatch-Star Carmen Electra kann nicht schwimmen und hasst Wasser.

Es gibt mehr Möglichkeiten, 70 Personen in einer Reihe aufzustellen, als es Atome im beobachtbaren Universum gibt.

After the Ball von Charles K. Harris aus dem Jahr 1892 war der erste Millionenerfolg der Musikgeschichte, ist jedoch in Vergessenheit geraten.

In Singapur muss ein Pilot bei einer Routineuntersuchung jedes Mal einen Aidstest machen, da er offenbar zur Hauptrisikogruppe gehört.

Die Pässe des Heiligen Stuhls sind die einzigen, die in einer toten Sprache verfasst sind.

Igor Strawinsky war begeisterter Scrabble-Spieler.

»Oh du Fröhliche« war ursprünglich ein Lied zur Preisung von Weihnachten, Pfingsten und Ostern.

Australien ist mit einer Bevölkerungsdichte von 2,5 Einwohner pro Quadratkilometer das leerste Land der Welt.

Der Satz »Die Spinne hat mehr Angst vor dir als du vor ihr« ist falsch, weil Spinnen und Insekten keine Angst empfinden können.

Laut der Handtaschen-Studie »Bag Stories« kramen Frauen 76 Tage ihres Lebens in ihrer Handtasche.

41 Prozent aller Menschen nehmen Personen mit Locken weniger ernst.

Der erste Genitalienschutz im Eishockey wurde 1874 getragen, der erste Helm erst 1974.

In Österreich gibt es im Bundesland Oberösterreich einen Ort namens Fucking. Die Ortstafel musste mmer wieder erneuert werden, da sie oft gestohlen wurde, meist von englischen Touristen.

Wenn man im Festnetz die Nummer 03100 anruft, ertönt eine Bandansage, bei welchem Telefonanbieter man ist.

Die weltweite Jahresernte an Erdbeeren würde nicht annähernd ausreichen, um so viel Erdbeerjoghurt herzustellen, wie jährlich weltweit verkauft wird. Daher werden Aromastoffe eingesetzt.

In den 1920er-Jahren gab es ein Autozubehör namens »Motormans Friend«. Dabei handelte es sich um eine anschnallbare Flasche für den männlichen Fahrer, der für das kleine Geschäft nicht den Wagen verlassen wollte oder konnte.

Superkleber gehört zu den teuersten Flüssigkeiten der Welt.

Auf Malta ist es erst seit 2011 möglich, sich scheiden zu lassen.

Der Pulsschlag von Schafen erhöht sich um das Dreifache, wenn man ihnen moderne Kunst vorzeigt.

Elefanten schwitzen nicht.

König Edward der Zweite von England starb eines ungewöhnlichen Todes. Sein homosexueller Liebhaber schob ihm ein glühendes Schüreisen in den Hintern.

2005 wurde der Schwammkugelkäfer Agathidium bushi, der sich von Schleimpilzen ernährt, nach George W. Bush benannt.

DIN 1451 heißt die Schrift auf den Autobahnschildern in Deutschland.

Das Ost-Ampelmännchen (der DDR) ist das weltweit einzige Ampelmännchen mit Kopfbedeckung.

Um ein Glas zu 50 Prozent mit Wasserstoff (H) zu füllen, muss man ein Glas zu drei Fünfteln mit Wasser füllen.

Schokolade hat noch nie einen Krankheitserreger verbreitet.

Die Farbe der Stühle im Reichstag heißt »Reichstags-Blue«.

> **Im Flüsschen Erft in Nordrhein-Westfalen leben seit 1996 Piranhas. Diese brauchen zwar eine Wassertemperatur von mindestens 22 Grad Celsius zum Überleben, doch dies ist durch die Abwasser der Braunkohlekraftwerke gewährleistet.**

Der geografische Nordpol der Erde ist der magnetische Südpol.

Ein Brot hat 0,3 Volumenprozent Alkohol.

Wenn sich rund 14 000 Stechmücken gleichzeitig an einem sattsaugen würden, würde man an Blutverlust sterben.

Das Wort »Bistro« kommt aus dem Russischen. Im Krieg kamen Russen in ein Wirtshaus und riefen »bistra, bistra«, was so viel bedeutet wie »schnell, schnell«.

In der Schweiz gibt es einen Berg mit Namen Füdlechopf, was auf Hochdeutsch »Arschkopf« heißt.

Die erste Bombe der Alliierten, die im Zweiten Weltkrieg über Berlin abgeworfen wurde, tötete den einzigen Elefanten des Zoos.

Im australischen Outback zählt man nicht, wie viele Menschen auf einem Quadratkilometer wohnen, sondern wie viele Quadratkilometer auf einen Einwohner kommen.

Paris Hiltons natürliche Augenfarbe ist Dunkelbraun.

Der Schweiß der Nilpferde ist rot. Daher hatte man früher vermutet, sie würden Blut schwitzen.

Es gibt in einem Bienenstock immer mehr weibliche als männliche Bienen.

Ab dem 7. Monat zeigen Buben im Bauch bereits Erektionen.

Der FC Porto betreibt unter anderem die Sportabteilungen Camping und Angeln.

Edward Cullens Vater Carlisle Cullen (aus den *Twilight*-Filmen) ist laut Forbes-Magazin mit einem Vermögen von 34,1 Milliarden Dollar der reichste fiktive Charakter der Welt, dicht gefolgt von Dagobert Duck.

In Schottland ist es illegal, betrunken zu sein, wenn man in Besitz einer Kuh ist.

Wenn man sich alle *Harry-Potter*-Filme am Stück anschauen würde, wäre man etwa 19 Stunden und 4 Minuten beschäftigt.

Das unerlaubte Öffnen eines Gullideckels gilt als Hausfriedensbruch.

> **Terence Hill spricht fließend deutsch.**

Die Eieruhr hat ihren Namen daher, dass sie früher mit gemahlenen Eierschalen gefüllt war.

Erdnüsse sind einer der Bestandteile von Dynamit.

Kühe stehen überproportional oft dem Magnetfeld folgend nach Norden bzw. Süden (je nach Erdhalbkugel) ausgerichtet.

Die medizinische Bezeichnung für stark riechende Füße ist Podobromhydrosis.

In den Tropen gibt es keine Blitzableiter: Erdblitze treten auf, solange die Wolkenuntergrenze unter 3000 Metern liegt. In den Tropen ist dies jedoch selten der Fall, daher sind Erdblitze dort nahezu ausgeschlossen.

Die Brüste der Zeichentrickfigur Jessica Rabbit (aus *Falsches Spiel mit Roger Rabbit*) bewegen sich genau gegen die physikalischen Gesetze. Wenn sie nach unten geht, gehen sie rauf, und wenn sie nach oben geht, gehen sie runter.

Hätte die Stadt New York dieselbe Bevölkerungsdichte wie Alaska, würden dort nur etwa 15 Personen leben.

Auf der Welt wird mehr Monopoly-Geld gedruckt als Dollarscheine.

Der Papst akzeptiert bei der Zahlung des Peterspfennigs auch Kreditkarten.

Einen Orgasmus vorzutäuschen verbrennt mehr Kalorien, als wirklich einen zu haben.

1976 heiratete eine Frau aus Los Angeles im Beisein von 20 Gästen einen 50 Pfund schweren Felsen.

Das Fingerende, mit dem man zum Beispiel Fingerabdrücke gibt, nennt man Fingerbeere.

In Lothringen nennt man eine Mundharmonika auch Schnuffelrutsch.

Das Motto des US-Bundesstaates Maryland ist auf Italienisch verfasst und lautet: »Fatti maschii parole femine«, zu Deutsch: Männer handeln, Frauen reden.

Die Länge aller Blutgefäße eines erwachsenen Menschens beträgt zusammengenommen etwa 100 000 Kilometer.

In dem 007-Streifen *Casino Royale* regnet es zum ersten Mal nach 20 James-Bond-Filmen.

Bud Spencer und Terence Hill sind Italiener.

Gu Guangming ist der erste Chinese im deutschen Profifußball. Er gab sein Debüt am 22. Juli 1987 für den SV Darmstadt 1898.

Nach Aussagen des Genforschers Hans Eiberg von der Universität Kopenhagen hat sich der Genschalter für die Entwicklung von blauen Augen erst vor circa 6000 bis 10 000 Jahren durch Mutation ergeben.

Auf dem Albumcover von »The Black Crown« der amerikanischen Band Suicide Silence ist eine alte Sternenkarte mit deutschen Beschriftungen zu sehen.

Der Name des Vorsitzenden des Aufsichtsrates der Direct Line Versicherung AG ist James Brown.

Kamele sind durch die Höcker charakterisiert, die entgegen der landläufigen Meinung nicht als Wasser-, sondern als Fettspeicher fungieren – geschrumpfte Höcker sind also ein Anzeichen für einen schlechten Ernährungszustand.

1830 wurde Ketchup in den USA als Medizin patentiert.

Das letzte Musikvideo im deutschen Free-TV von MTV war »Viva Forever« von den Spice Girls.

Die Illuminaten stehen im deutschen Telefonbuch.

In Australien gibt es einen Friedhof an der Küste, wo ein Grab 2 Millionen Dollar kostet, weil die Toten aufs Meer schauen.

Selektives Hören bezeichnet man auch als Cocktailparty-Effekt.

Eine Ehefrau in Saudi-Arabien kann sich scheiden lassen, wenn sie von ihrem Mann keinen Kaffee bekommt.

Jodie Foster spricht ihre französische Synchronstimme selbst.

Sutdein hbaen hreasuegfudnen, dsas es eagl ist, in wcheler Rhnfgeeloie die Bstuchbaen in eniem Wrot snid, um es zu vserehten. Ldeigilch der esrte und ltetze Bstuchbae msus sitmemn.

Der Australier Dr. Kew-Kim hat herausgefunden, dass regelmäßige, moderate Trinker seltener an Erektionsstörungen leiden als strenge Abstinenzler.

> **Die Thusnelda-Allee in Berlin-Moabit ist mit 50 Metern die kürzeste Allee Deutschlands. Das einzige Gebäude in der Allee ist die Heilandskirche, welche mit 87 Metern den höchsten Kirchturm Berlins hat und somit höher ist, als die Allee lang.**

In den Niederlanden ist Sex mit Tieren nicht strafbar, solange die sexuelle Handlung auf beidseitigem Interesse besteht.

19 Prozent aller Kinder zwischen drei und fünf Jahren können ein Smartphone bedienen, aber nur 9 Prozent ihre Schnürsenkel binden.

Beim Videoclip von Pink zu »Funhouse« zählt sie von zehn herunter, und wenn sie sieben sagt, zeigt sie nur sechs.

Die 92-jährige Chinesin Huang Yijun war 60 Jahre lang mit einem toten Fötus schwanger. Sie hatte kein Geld, um die Operation zur Entfernung des toten Fötus zu bezahlen.

Für die ersten vier Züge beim Schach gibt es 318 979 564 000 verschiedene Möglichkeiten.

Die Menschenfressertomate ist eine Pflanzenart aus der Familie der Nachtschattengewächse.

Am 9. Januar 2010 nahm das erste Mal ein Athlet aus Tonga beim Rodeln im Weltcup in Winterberg teil. Sein Name ist Bruno Banani.

Seinen Geburtstag teilt jeder Mensch mit durchschnittlich 16,5 Millionen anderen Menschen.

Zebras sind Pferde.

Der aktuelle Käptn Iglo hat die gleiche Stimme wie der deutsche Arnold Schwarzenegger.

Die Stinkmorchel hat den lateinischen Namen Phallus impudicus – unzüchtiger Penis.

In Frankreich ist es Außerirdischen per Gesetz verboten, mit ihrem Ufo in einem Weinberg zu landen oder es dort abzustellen.

Vollmilch enthält mehr Kalorien als Coca-Cola (67 Kilokalorien vs. 42 Kilokalorien pro 100 Milliliter).

Das h in der Tonleiter ist eigentlich ein schlampig geschriebenes b.

Im Original Ducktales-Intro werden Pluto und Goofy erwähnt, obwohl die beiden in der Serie gar nicht vorkommen.

Schafe trinken niemals aus fließenden Gewässern.

Als Schutzpatron der Latrinenreiniger gilt Papst Julius I.

Der Klang der Stimme ändert sich bei Frauen geringfügig während der Zeit des Eisprungs und wird von Männern als attraktiver wahrgenommen.

Ein Mensch kann wenige Sekunden eine Leistung von 910 Watt erbringen, das entspricht etwa 1,2 PS. Im Durchschnitt bringt es ein Erwachsener auf 0,14 Pferdestärken, ein Spitzenpferd sogar auf bis zu 24 PS.

In Deutschland wurde die Firma Mars nicht etwa mit ihrem Schokoriegel bekannt, sondern zunächst durch Tiernahrung.

Die Flasche von Absolut Vodka hat Andy Warhol entworfen.

Pudel wurden bis in die Fünfzigerjahre des 20. Jahrhunderts in Paris zur Kanalreinigung durch die Röhren der Kanalisation getrieben.

Bei der Nutzung von Facebook, Twitter oder beim Schreiben von SMS steigt der Pegel des Hormons Oxytocin. Dieses Hormon tritt normalerweise vermehrt nur beim Kuscheln auf.

Der Vater von Homer Simpson, der nur selten namentlich erwähnt, sondern meist nur Grampa genannt wird, heißt Abraham »Abe« J. Simpson.

Alle männlichen Küken sowie 15 Prozent der weiblichen haben einen Penis.

Der Hamburger Hafen ist größer als das Fürstentum Monaco.

Ein Flitzer, der im Stadion während eines Spiels nackt auf das Feld rennt, heißt auf Spanisch »el espontáneo«. Wörtlich übersetzt bedeutet das: der Spontane.

Wer kennt die Geschmacksrichtung von Fleisch oder Käse? Beides schmeckt umami.

Das Wort »queue« ist das einzige englische Wort, das immer noch gleich ausgesprochen wird, nachdem man alle Vokale entfernt hat.

In der Sprache Tamazight, die von 20 Millionen Menschen gesprochen wird, gibt es nur drei Wikipedia-Artikel.

Two and a Half Men wurde bisher in über 40 Ländern ausgestrahlt.

Die ersten elf Nachkommastellen aus Wurzel 2 lauten 41421356237.

Im Programm Excel 2003 ist es lediglich möglich, bis in die Zeile 65536 und in die Spalte IV zu scrollen, wobei es in Excel 2007 bereits möglich ist, bis in die Zeile 1048576 und in die Spalte XFD zu scrollen.

> Pinguine haben perfekte aerodynamische Eigenschaften und kön-
> nen fliegen, wenn sie auf etwa 267 km/h beschleunigt werden.

Der Stadtname Springfield bei den *Simpsons* wurde deshalb gewählt, weil es in den USA laut Wikipedia 16 Städte mit diesem Namen gibt und man so nicht genau sagen kann, welches Springfield gemeint ist.

Leute, die ein extrem ausgeprägtes Interesse an Schienenfahrzeugen an den Tag legen, nennt man ferrosexuell.

Al Capones Visitenkarte wies ihn als Gebrauchtmöbelhändler aus.

Der Fußballspieler Mario Götze (Nationalmannschaft und Spieler bei Borussia Dortmund) hat am 3. Juni Geburtstag, genau wie sein zwei Jahre älterer Bruder Fabian.

Ein Arschin ist ein altes russisches Längenmaß und entspricht 71,12 Zentimetern.

In der Mathematik zählt eine Gerade (die logischerweise linear verläuft) zu den Kurven.

Thomas Jefferson, einer der Unterzeichner der Unabhängigkeitserklärung der Vereinigten Staaten, erfand auch den elektrischen Bratenwender.

Das »ABC«, »Twinkle twinkle little star« und »Morgen kommt der Weihnachtsmann« haben dieselbe Melodie.

Im 19. Jahrhundert wurden Vibratoren nur in Arztpraxen zur Genitalmassage verwendet. Das sollte zur Behandlung der als psychische Störung diagnostizierten Hysterie bei Frauen dienen.

Opium wurde angeblich in der griechischen Antike als Schlafmittel für Kinder verwendet.

Babys haben keinen Mundgeruch.

Der Schauspieler Kyle Labine hatte Rollen in den Filmen Halloween: Resurrection *und* Freddy vs. Jason. *Somit ist er der einzige Schauspieler, der es mit Michael Myers, Jason Voohees und Freddy Krueger zu tun bekam.*

85 Prozent der Männer, die beim Sex an einer Herzattacke sterben, tun dies in fremden Betten.

Der erste Papst der katholischen Kirche, Petrus, war verheiratet.

Durchschnittlich 29,3 Frauen vernascht der Österreicher in seinem Leben. Damit haben die Alpenländler der britischen Tageszeitung *The Sun* zufolge die meisten Sexualpartner weltweit.

In philippinischen Karaokebars ist Frank Sinatras »My Way«verboten, da es nach Auftritten, die dem Publikum missfielen, oftmals zu Kämpfen kam.

Die minimal erlaubte Geschwindigkeit für Schiffe auf der Donau beträgt 12 km/h.

In der Archäoanthropologie ist es möglich, an Kinderskeletten Alter, Herkunft, Säugungszeit, Entwöhnungszeit, Essgewohnheiten, Krankheiten und die Todesursache festzustellen, aber fast nicht, welches Geschlecht sie haben.

»Da Da Da« von Trio war nie Nummer eins in Deutschland.

Die deutsche Synchronstimme des Erzählers aus *How I Met Your Mother* gehört Christian Tramitz.

Homer Simpson hat einen IQ von 55.

November-Kinder leben im Schnitt länger als Mai-Kinder.

Der Regisseur Michael Bay hat für den Film *Transformers 3* sage und schreibe 532 Autos zerstört.

Ein Merkurtag ist länger als ein Merkurjahr.

Die schwarzen Streifen, die sich z. B. Baseball-Spieler ins Gesicht malen, dienen in Verbindung mit der gern getragenen Kappe als Schutz vor dem Sonnenlicht. Das Licht wird auf der angemalten Hautfläche nicht in die Augen reflektiert.

Prinz Charles vollständiger Titel lautet: His Royal Highness The Prince Charles Philip Arthur George, Prince of Wales, Duke of Cornwall and Earl of Chester, Duke of Rothesay, Earl of Carrick, Baron of Renfrew, Lord of the Isles, Prince and Great Steward of Scotland, Knight Companion of the Most Noble Order of the Garter, Knight of the Most Ancient and Most Noble Order of the Thistle, Great Master and First and Principal Knight Grand Cross of the Most Honourable Order of the Bath, Member of the Order of Merit, Knight of the Order of Australia, Companion of the Queen's Service Order, Honorary Member of the Saskatchewan Order of Merit, Chief Grand Commander of the Order of Logohu, Member of Her Majesty's Most Honourable Privy Council, Aide-de-Camp to Her Majesty.

Bei der Abfahrt der Ski-WM 1931 in Mürren hielt die Britin Esmé MacKinnon mitten in der Fahrt an, um einen Beerdigungszug vorbeizulassen. Trotzdem gewann sie noch die WM-Abfahrt.

Der Ton, der beim Einführen des Strohhalmes in den Deckel eines 0,25-Liter-McDonald's-Bechers entsteht, ist ein D.

London ist die zehntgrößte Stadt Kanadas und durch sie fließt die Thames – benannt nach der britischen Themse.

Alfred Hitchcock hatte keinen Bauchnabel, denn der verschwand nach einer Operation am Bauch.

Der Spruch »Wenn du alles aufisst, dann wird morgen das Wetter schön« beruht auf einem Übersetzungsfehler. Auf Platt pflegte man nämlich zu sagen: »Un wenn du allens opeeten dost, dann gifft et morgen wat goods wedder.« Richtig übersetzt heißt das: »Wenn du alles aufisst, dann gibt es morgen wieder was Gutes!«

In Tirol/Österreich gibt es einen Gebirgszug, der Unnütz heißt. Dieser besteht aus dem Hinterunnütz, dem Hochunnütz und dem Vorderunnütz, welcher meist nur als Unnütz bezeichnet wird.

Wer bei YouTube beim Video-Schauen eine Pause macht und dann auf seiner Tastatur gleichzeitig die Pfeiltasten »oben« und »rechts« drückt, kann Snake spielen – jenes Spiel, das oft auf älteren Handys zu finden ist.

Das Wort »Känguru« entstand dadurch, dass die ersten englischen Siedler ein paar Aborigines die Bewegung eines Kängurus vormachten, um herauszufinden, wie dieses seltsame Tier heißt. Die Aborigines antworten daraufhin mit »gangurru«, ihrer Bezeichnung für das Graue Riesenkänguru.

In der Schweiz lautet das offizielle Wort des Jahres 2010 »Ausschaffung«, das offizielle Jugendwort »hobbylos«.

Traue mir, das Lied der Schlange Ka in Disneys *Dschungelbuch* wurde ursprünglich für eine nie gedrehte Szene von Marry Poppins komponiert und hieß »Land of Sand«.

Die erste Marke, die ihren Shampoos Silikon zusetzte, war Pantene Pro-V.

Das Wort »Weltreise« fehlte lange Zeit im DDR-Duden, es findet sich aber in der 18. Auflage, die 1985 erschien.

Es gibt keine Kaugummis mit Schokoladengeschmack, weil das Fett in der Schokolade den Kaugummi auflösen würde.

Legt man eine Schnur um die Erde, verlängert diese um nur einen Meter und spannt sie erneut über der Erdoberfläche, so würde sie sich etwa um 15,9 Zentimeter vom Boden abheben.

Abraham Lincoln war am Anfang seiner Karriere Anwalt in Springfield.

Ein Erste-Liga-Spiel in Madagascar ging 146 : 0 aus – alle Tore waren Protest-Eigentore.

In Siegburg steht der weltweit einzige Blitzer in einer Fußgängerzone.

Wenn man sich ganz schnell mit einem Finger über die Zähne fährt, so quietscht es.

Das Vehicle Assembly Building – die Montagehalle der NASA – ist so groß, dass sich dort ein eigenes Mikroklima gebildet hat. Arbeiter haben beobachtet, wie sich an feuchten Tagen im Gebäude Wolken gebildet haben.

Die Off-Stimme von **Abenteuer Wissen** *auf ZDF ist die Synchronstimme von Charlie Harper.*

Der Sat1-Ball in der Ecke rechts oben dreht sich während des laufenden Programms im Uhrzeigersinn, bei kurzen Werbeunterbrechungen dreht er sich aber gegen den Uhrzeigersinn.

Dr. Oetker promovierte 1891 mit der Arbeit »Zeigt der Pollen in den Unterabteilungen der Pflanzenfamilien charakteristische Unterschiede?« in der Botanik.

In Nordkorea ist es verboten, etwas in Zeitungspapier einzuwickeln, weil man dabei ein Bild von Kim Jong Il verknittern könnte.

Wenn man ein Gruppenfoto von allen Menschen auf der Welt machen wollte, bräuchte man dazu eine Fläche von 1200 Quadratkilometern (etwa so groß wie Los Angeles).

Je hoeher ein Panda in der sozialen Rangliste steht, desto akrobatischer markiert er sein Revier. So kann es auch vorkommen, dass dies durch Pinkeln im Handstand geschieht.

4.282 Likes, 339 Kommentare

Das Röntgenbild im Intro von *Scrubs* hängt immer verkehrt herum.

Die meisten Ehrendoktorwürden, nämlich 150, erhielt der US-amerikanische Theodore Hesburgh (* 1917), weshalb ihn das Guinnessbuch der Rekorde schon seit Jahrzehnten als Titelhalter in dieser Beziehung führt.

In den USA ist Liebeskummer eine anerkannte Krankheit (Broken-Heart-Syndrom).

Steve-O (*Jackass*) hat im Juli 2003 seinen Hodensack an seinen Schenkel getackert und wurde daraufhin verhaftet.

Christina Applegate war 1995 eines der Gründungsmitglieder der Pussycat Dolls.

Die Chance, dabei zu sterben, dass man aus dem Bett fällt, liegt bei 1 : 2 000 000.

Helge Schneider besingt den »Telefonmann«, dabei handelt es sich aber nicht um ihn selbst, sondern er hat seine Katze so genannt und das Lied geht über die Katze mit diesem kuriosen Namen.

Auf Hawaii gibt es Pfefferminze, die nicht nach Minze schmeckt, und Brennnesseln, die nicht brennen.

Der Penis des männlichen Ameisenigels hat vier Spitzen, der weibliche Genitaltrakt allerdings nur zwei Eingänge.

Einige alte Herzschrittmacher aus den Siebzigern enthielten Plutonium als Energiequelle.

Der Diamant-Picassodrücker, Staatsfisch von Hawaii, heißt in der Landessprache »Humuhumunukunukuapua'a-Fisch«.

Die Zeitspanne, die eine Frau ein Geheimnis für sich behalten kann, beträgt im Durchschnitt 47 Stunden und 15 Minuten.

Das Nintendo-64-Logo hat 64 Kanten und 64 Flächen.

Die Leistung männlicher Spermien auf ihrer Reise zum weiblichen Ei entspricht der Leistung eines Menschen, der durch ein Meer aus Sirup von Europa in die USA schwimmen würde.

In dem Musikvideo zu dem Lied »Sonne« von Rammstein wird Schneewittchen von einem als Frau verkleideten Mann gespielt.

Sperma stirbt bei 42 Grad Celsius ab.

Burger King ist in Australien zwar vertreten, firmiert allerdings unter dem Namen Hungry Jack's. McDonald's hatte sich seinerzeit die Rechte für den Namen Burger King sichern lassen.

Die Bezeichnung O. K. ist auf deutschem Mist gewachsen. Otto Krafft, Ingenieur beim Automobilhersteller Ford, hat, bevor ein Exemplar die Fließbänder verlassen durfte, sein Kürzel O. K. auf den Schein geschrieben. Erst dann durfte das Auto ausgeliefert werden.

Gunther Tiersch, der Wetterexperte vom ZDF, begrüßt die Zuschauer meist mit geschlossenem Jacket und öffnet dies nach seiner Begrüßung.

Auf dem Merkur in Baden-Baden werden an Ostern 9999 Ostereier versteckt.

Die vom CIA gegeründete Wikileaks-Taskforce trägt die Abkürzung WTF – könnte man auch als »what the fuck« falsch verstehen.

Bis zum 1. Januar 1993 gab es in Deutschland eine Steuer auf den Verbrauch von Kochsalz – die sogenannte Salzsteuer.

Die Anzahl von erlaubten Pixelfehlern ist in der ISO 13406-2 festgelegt.

Mit null Einwohnern ist Plymouth auf der zu Großbritannien gehörenden Insel Montserrat die kleinste Hauptstadt der Welt. Sie wurde 1997 von einem Vulkanausbruch zerstört und seither nicht mehr besiedelt, gilt aber dennoch als Hauptstadt.

An Kai Pflaumes rechtem Zeigefinger fehlt die Hälfte. Er hat sich den Finger im Alter von zwei Jahren in einer Tür abgeklemmt.

Der Moderator Ranga Yogeshwar hat einen Zwillingsbruder.

Eine Frau isst in ihrem Leben durchschnittlich ganze vier Kilogramm Lippenstift. Das entspricht etwa 933 Stück.

.dd war die Top-Level-Domain der DDR.

Der B-29-Bomber, der am 6. August 1945 die erste Atombombe, die je im Konflikt eingesetzt wurde, abwarf, hieß Enola Gay.

In Indien kostet das Überfahren einer roten Ampel weniger als einen Euro.

Während seines Studiums wurde von Prince William als Steve gesprochen. Dadurch wollte man das Aufsehen der Presse nicht erregen.

Das Kaugummi ist 9000 Jahre alt, die Menschen kauten damals Birkenpech.

Im Weißen Haus gibt es 13 092 Messer, Gabeln und Löffel.

> **Benny und Björn von ABBA können keine Noten lesen.**

Die Abkürzung von Mehrwertsteuer ist in fast allen Sprachen dreistellig – im Deutschen und Dänischen vierstellig: MwSt bzw. MOMS.

Für die Rolle der Sondra Huxtable aus *Die Bill Cosby Show* hatte sich auch die damals 21-jährige Whitney Houston beworben.

Mike Edwards, Mitglied des Electric Light Orchestra, wurde von einem 600 Kilogramm schweren Heuballen erschlagen.

Am Mannheimer Hauptbahnhof gibt es kein Gleis 6. Auf die Gleise 4 und 5 folgen die Gleise 7 und 8.

Der Lichtschutzfaktor eines weißen T-Shirts beträgt 4.

Ein Tsunami kann die Geschwindigkeit von 800 km/h erreichen.

Jeder Mensch nimmt in seinem Leben etwa 30 000 Kilogramm Nahrung zu sich, darunter 35 000 Kekse. Das entspricht einem Gewicht von sechs Elefanten.

Zu Beginn ihres Lebens sind alle Clownfische männlich. Als erwachsene Fische wechseln dann einige von ihnen das Geschlecht.

Der am höchsten dekorierte Hund des Ersten Weltkrieges war der Bullterriermischling Stubby, der an 17 Schlachten teilnahm, mehrmals verwundet wurde und bis zum Unteroffizier aufstieg.

In einigen Gebieten Thailands werden Affen benutzt, um Kokosnüsse zu ernten.

Von Brasilien nach Kalifornien sind es auf kürzestem Weg gerade mal 1,1 Kilometer – allerdings nur in Holstein.

Bei McDonald's hat eine Packung Süß-Sauer-Soße mehr als fünfmal so viele Kalorien wie ein Gartensalat mit Dressing.

Frauen haben einen besseren Tastsinn als Männer.

Marilyn Manson kann nicht schwimmen.

In einem Flugzeug gibt es keine direkte Verbindung zwischen dem Passagierbereich und dem Frachtraum.

Unsere Nervenbahnen haben eine Länge von 5,8 Millionen Kilometern, das sind 145 Erdumrundungen.

Das erste Video das auf YouTube upgeloadet wurde, ist 18 Sekunden lang und erklärt unter anderem, dass Elefanten lange Rüssel haben.

Die Form der Schachteln, in die die Pommes bei McDonald's gefüllt werden, ist urheberrechtlich geschützt.

Im Jahr 1994 schworen alle Philip-Morris-Manager vor Gericht, dass Rauchen nicht süchtig mache.

In den USA werden seit einigen Jahren vermehrt Figuren aus den Weihnachtskrippen gestohlen. Deshalb statten immer mehr Kirchen ihre Jesusfiguren mit Alarm aus.

Bei der britischen Traumhochzeit hat die Queen angeblich nicht mitgesungen, weil es doch eigenartig wäre, wenn die Queen singen würde.

Fällt eine Schneeflocke auf Wasser, dann erzeugt sie aufgrund der in ihr eingeschlossenen Luftblasen einen schrillen hohen Ton mit einer Frequenz von 50 bis 200 Kilohertz, der für Menschen allerdings unhörbar ist.

Man bräuchte etwa 841 Milliarden Euro-Stücke, um die gesamte Fläche der BRD damit auszulegen.

Allen Carr war für seine sehr effektiven Nichtraucher-Seminare bekannt, starb dann schließlich aber selbst an Lungenkrebs.

Als »Bong« wird eine bestimmte Art Wasserpfeife bezeichnet, in der meist Cannabis, aber auch normaler Tabak geraucht wird.

Die Sängerin Sinéad O'Connor (»Nothing Compares to You«) lehnte 1991 vier Grammys ab.

In der Tiefsee bestehen 90 Prozent der bodennahen Biomasse aus Seegurken.

Um alle Atome in einem Gramm Wasserstoff zu zählen, bräuchte man ungefähr 200 000-mal die Zeit vom Urknall bis heute.

Das Wort »Hieroglyphe« lässt sich in über 60 Versionen falsch schreiben.

Im Film *Lammbock* werden mindestens 21 Joints konsumiert.

Pop-Star Dieter Bohlen hatte schon mal einen Penisbruch.

Das Woodstock-Festival fand nicht in Woodstock, sondern in Bethel statt. Woodstock wollte das Festival nicht haben, aber die Plakate waren schon gedruckt.

Die Polizei München hat einen Chor.

Laut offizieller Zählung gibt es 100 Schlümpfe – allerdings wird dabei das Schlumpfinchen nicht mitgezählt.

Tom Attridge war der erste Pilot, der sein eigenes Flugzeug abgeschossen hat.

Das allseits beliebte Regal Billy aus dem Ikea-Möbelhaus wurde ab 1982 bis 1990 in Gardelegen/DDR gefertigt.

Die englische Bezeichnung für »Zeitpunkt des Todes« – »time of death« – wird T. O. D. abgekürzt.

Bangkoks offizieller Ortsname lautet Krung Thep Mahanakhon Amon Rattanakosin Mahinthara Ayuthaya Mahadilok Phop Nopparat Ratchathani Burirom Udomratchaniwet Mahasathan Amon Piman Awatan Sathit Sakkathattiya Witsanukam Prasit und ist somit der längste Ortsname der Welt.

Der schiefste Turm der Welt steht nicht in Pisa, sondern in Deutschland. Offiziell ist es der Kirchturm von Suurhusen mit einer Neigung von 5,19 Grad, inoffiziell ein Turm in Dausenau mit einer Neigung von 5,24 Grad. Der schiefe Turm von Pisa neigt sich nur um 3,97 Grad.

Laut NABU sterben in Deutschland jährlich etwa 1000 Vögel durch Kollision mit einem Windrad, was etwa 0,5 Vögeln pro Anlage und Jahr entspricht.

92 Wörter haben die Sätze in Hermann Brochs *Tod des Vergil* im Durchschnitt.

In Thüringen gibt es an der A9 eine Autobahnausfahrt namens Lederhose.

Das Startkapital der 1920 gegründeten Firma Haribo war ein Sack Zucker.

In der deutschen Fußballbundesliga wird jeweils nach fünf Gelben Karten eine Gelbsperre verhängt, früher waren es vier. Zu verdanken ist diese Regel dem Fußballspieler Walter Frosch, der es in der Saison 1976/77 auf 27 Gelbe Karten in 37 Spielen brachte.

Tauben müssen kleine Kieselsteine fressen, damit sie ihre Nahrung verdauen bzw. zerkleinern können. Die Steine werden als Ganzes wieder ausgeschieden.

Da Elvis der einzige Überlebende von Zwillingen war, wählte seine Mutter Gladys, die nur die Buchstaben von lives (lebt) vertauschte, den Namen Elvis.

Die DNA eines Menschen stimmt zu 55 Prozent mit der einer Banane überein.

Nur etwa jede 12 000 000. Spam-Mail führt tatsächlich zu einem Verkauf der angebotenen Ware.

Der Roadster MR2 von Toyota wurde in Frankreich nur als MR verkauft, da die Aussprache von MR2 (M-R-deux) dem französischen Wort »merde« (Scheiße) zu sehr ähnelte.

Der Kaiserpinguin Nils Olav wurde 2008 vom norwegischen König Harald V. zum Ritter geschlagen und hieß seitdem offiziell Sir Nils Olav.

Ein Mangel an Vitamin B1 kann das Korsakow-Syndrom verursachen, eine bei Alkoholikern häufig beobachtete Form der Amnesie (Gedächtnisstörung).

Um einen Hai abzuwehren, braucht man nur seine Nase zu reiben. Dadurch fällt er in einen tranceartigen Zustand.

Das erste Berliner Autokennzeichen wurde 1892 ausgegeben. Seit 1907 gab es die erste Regelung für alle Länder des damaligen Deutschen Reiches.

Die Firma Condom-Planet hat ihren Sitz in der Sackstr. 9 in Stadthagen.

Pro Sekunde schlagen auf der Erde im Schnitt rund 500 Blitze ein.

Der Unterschied zwischen Marmelade und Konfitüre ist, dass Marmelade immer aus Zitrusfrüchten besteht, Konfitüre dagegen aus allen anderen Früchten.

Ludwig Erhard rauchte durchschnittlich 16 Zigarren am Tag.

Ein Eishockeytorwart verliert pro Spiel durchschnittlich vier Liter an Flüssigkeit.

Wer in Deutschland legal betteln will, muss ein Reisegewerbe anmelden.

Der Name Manhattan stammt aus einer alten Indianersprache und bedeutet so viel wie »hügeliges Land« oder »Land der vielen Hügel«.

Die Rickenbacker Frying Pan, eine Hawaii-Gitarre, war 1932 das erste Gitarrenmodell, das serienmäßig mit einem elektromagnetischen Tonabnehmer ausgestattet war.

Türken sagen meist nicht »facebook«, sondern nur »face«, weil »book« (oder wie auch immer das so ausgesprochenen Wort geschrieben wird) auf Türkisch »Scheiße« heißt.

Das Bundesministerium für Bildung und Forschung hieß bis 1957 Bundesministerium für Atomfragen.

Die erste TV-Fernbedienung kam 1950 auf den Markt und hieß »Lazy Bones«.

Im Duden-Namenslexikon der Vornamen gibt es unter anderen schrägen Namen auch den Namen Habakuk.

Physikstudenten haben mal ausgerechnet, dass ein Mensch aus eigener Kraft fliegen könnte. Voraussetzung: Er müsste 30-mal pro Sekunde mit seinen »Flügeln« schlagen.

Der Name Beatles ist eine Zusammensetzung aus »beetle« (Käfer) und der Musikrichtung Beat.

Der Pressesprecher der Wiener U-Bahn-Linien heißt mit Vornamen Answer (engl. = Antwort).

Aichmophobie ist die Angst vor spitzen Gegenständen.

Ein DIN-A4-Blatt ist exakt $2{,}219749162126*10ffi(-17)$ Lichtjahre breit.

»The Drugs Don't Work« von der Band The Verve wurde laut einer Studie von Dr. Harry Witchel zum traurigsten Song der Welt gekürt.

Das »Jetzt« ist ziemlich genau 30 Millisekunden lang. Ein zum gleichen Zeitpunkt wahrgenommenes akustisches und visuelles Ereignis benötigt diese Zeit, bis es beim Gehirn angelangt ist.

Ernie und Bert von der *Sesamstraße* haben am 28. Januar und am 26. Juli Geburtstag.

Lamas sind Herdentiere. Wenn sie von der Herde getrennt werden, leiden sie.

Der erste Computer kommt eigentlich aus Deutschland.

Dschingis Khan hatte mit so vielen Frauen intimen Kontakt, dass eine Wahrscheinlichkeit von 0,5 Prozent besteht, mit ihm verwandt zu sein.

Wenn man eine Spaghettinudel an ihren Enden festhält und biegt, bis sie bricht, dann bricht sie mindestens in drei oder mehr Teile, nie aber nur in zwei.

Das Schöne an japanischen Zügen ist die Pünktlichkeit. Die Zugführer müssen einen Bericht schreiben, wenn der Zug mehr als 30 Sekunden Verspätung hat.

Die Melodie des Songs »Butterfly« von Crazy Town basiert auf einem Teil des Instrumentalstücks »Pretty Little Ditty« der Red Hot Chili Peppers.

In den USA wird seit 1990 jeweils am 13. Juli der Sei-stolz-ein-Geek-zu-sein-Tag (Embrace Your Geekness Day) gefeiert.

Styropor ist ein eingetragener Markenname, das Material heißt Polystyrol.

Die Damen im alten Rom blondierten sich ihre Haare mit dem eigenen Urin.

Am 7. Dezember ist der Tag des Honigs.

> **Niemand weiß, woher die Fahne auf dem Mond stammt, die seit 1969 als erste im Staub steckt. Die acht größten amerikanischen Fahnenhersteller haben damals je ein Exemplar eingeschickt.**

Bei jedem Kopfhörer ist auf der linken Seite eine Markierung, die man spüren kann, wenn man darüberfährt. So können auch Blinde schnell feststellen, wie der Kopfhörer richtig herum auf den Kopf gehört.

Der derzeitige Übergangspräsident von Madagaskar ist ein ehemaliger DJ.

Eis – gefrorenes Wasser – wird bei Temperaturen unter – 200 Grad Celsius flüssig.

Koalas sterben, wenn sie zu viel Stress haben.

Zwei Wochen vor seinem Tod gab Jimi Hendrix sein letztes Konzert auf Fehmarn.

Der Dünndarm einer Kuh ist ungefähr 50 Meter lang.

In Namibia gibt es eine Sprache mit dem offiziellen Namen Küchendeutsch.

Das Öl der Latschenkiefer wird gerne für Fußpflegeprodukte verwendet.

Die Figur Anna Ziegler aus der *Lindenstaße* war elf Monate schwanger. Grund: zeitliche Ungenauigkeit der Drehbücher.

In Den Haag/Niederlande gibt es eine Straße, die Lange Voorhout heißt.

Stanley Kubrick starb 66 Tage nach Beginn des Jahres 1999. Das sind 666 Tage vor dem Beginn des Jahres, das er mit einem der berühmtesten Science-Fiction-Filme unsterblich gemacht hat: *2001*.

Cannabis sativa hat die Zolltarifnummer 53021000.

Eine Schneeflocke braucht zwischen ein und drei Stunden, bis sie auf der Erde gelandet ist.

Karpfenfische besitzen keinen ausgebildeten Magen, die Speiseröhre geht direkt in den Mitteldarm über.

1925 bis 1934 fungierte der Eiffelturm als Litfaßsäule.

In Bayern gibt es in der Gemeinde Hutthurm (Landkreis Freyung-Grafenau) ein Dorf München und ein Dorf Prag, die nur 2,4 Kilometer voneinander entfernt sind.

> **Blutmehl kommt vor allem in der Fischfütterung zum Einsatz oder aber auch als Düngemittel.**

Die aus der Werbung sehr bekannte Krombacher-Insel liegt in einem Stausee in der Nähe von Nespen/Nordrhein-Westfalen.

Giftpillen und die Pac-Man-Methode sind Maßnahmen, um feindliche Übernahmen von Unternehmen zu verhindern.

Moe von den Simpsons heißt im Italienischen Boe, die Kneipe jedoch »Moe's«.

Andrea, Simone und Gabriele sind in Italien völlig gewöhnliche und weitverbreitete männliche Vornamen.

Der Muskel, der den Hodensack an den Körper zieht, heißt Musculus cremaster.

Es braucht eine Strecke von 100 Kilometern, damit eine Hähnchenbrust im Motorraum eines Autos fertig gegart ist.

Johnny Depp stammt von den Cherokee-Indianern ab.

00975 ist die Vorwahl von Bhutan in Asien.

Der Begriff »Genitalprimat« beschreibt eine psychosexuelle Entwicklungsphase.

Die türkische Fußballmannschaft Galatasaray hat mehr Fans als Australien Einwohner.

In Israel gibt es eine Jesus-Cola und in Dubai eine Mecca-Cola.

Wäre Facebook ein Staat, wäre es nach China und Indien der drittgrößte mit einer Einwohnerzahl von über 600 Millionen.

Die Herstellung einer amerikanischen 1-Cent-Münze kostet 1,67 Cent (Stand 2007).

Die Seife im Omena-Hotel (Apfel-Hotel) in Finnland riecht nach Apfel.

Bibi Blocksberg und Fran Fine (*Die Nanny*) haben die gleiche Stimme – die von Susanna Bonaséwicz.

Für Italiener ist nicht Freitag der 13. ein Unglückstag, sondern Freitag der 17.

Der Professor für Sozialpsychologie Milton Rokeach führte 1959 drei Männer zusammen, die glaubten, ein und derselbe zu sein.

Der Mann, der Bambis Mutter getötet hat, belegt nach dem American Film Institute Platz 20 auf der Liste der größten Schurken der Filmgeschichte; der weiße Hai sogar Platz 18.

Ein Zahnarzt muss Amalgamreste nach dem Herausbohren der Füllungen wegen des Quecksilbers als Sondermüll entsorgen.

Jeder vierte schwedische Braunbär ist homosexuell veranlagt.

Zwei der offiziellen Titel des rumänischen Diktators Nicolae Ceauşescu waren »Sohn der Sonne« und »Titan der Titanen«.

Das Heavy-Metal-Handzeichen mit ausgestrecktem Zeige- und kleinem Finger wurde von Ronnie James Dio eingeführt. Dieser hat es von seiner Großmutter übernommen, die ihm mit diesem Handzeichen den Teufel austreiben wollte.

Die größte Wüste Europas liegt auf Island.

Im Schlaf kann man nicht niesen.

Am 11. Juli 1836 fuhr der erste Güterzug Deutschlands zwischen Nürnberg und Fürth. Die Ladung war Bier.

»Ein Neger mit Gazelle zagt im Regen nie« kann man vorwärts und rückwärts lesen.

Jaime Alguersuari ist Formel-1-Rennfahrer und nebenbei Techno-Produzent und DJ.

Würde man alle 1-Cent-Stücke Europas aneinanderreihen, so könnte man damit beinahe die Entfernung zwischen Erde und Mond überbrücken.

Den Weltrekord im (Dauer-)Jodeln hält der Österreicher Roland Roßkogler mit 14 Stunden und 37 Minuten.

Die Sicherheit deutscher Atomkraftwerke wird vom TÜV geprüft.

Uri Geller hat im Jahr 2000 Nintendo verklagt, weil das Pokémon Kadabra per Gedankenkraft Löffel verbiegen und Gegenstände fliegen lassen kann.

Das Format der Wiener Pflasterwürfel ist seit 1826 wesentlich größer als das anderer Städte. Grund dafür war die Französische Revolution. Die Habsburger wollten dem revolutierwütigen Volk keine allzu handlichen Wurfgeschosse in die Hand geben.

Die Frau des Bruders von Abraham heißt in der Bibel Milka.

> **Rein nach deutschem Zivilrecht erwirbt eine Person das Eigentum an einem Leichnam, wenn sie diesen tätowiert, da der Leichnam als bewegliche Sache gesehen wird. (§ 950, Satz 1 BGB)**

Faule Butter ist ein Ort im Sauerland.

Als ältester schriftlich dokumentierter Friedensvertrag der Welt gilt der Friedensvertrag zwischen Ägypten und den Hethitern, der im Jahr 1259 v. Chr. nach 15 Jahren Grenzstreitigkeiten geschlossen wurde.

Ein Golfball hat 360 Vertiefungen.

Will Smith hat die Rolle des Neo in *Matrix* abgelehnt, um stattdessen *Wild Wild West* zu drehen.

Die Schlümpfe tragen eine phrygische Mütze, welche einem Stier-Hoden-sack samt umliegender Fellpartie nachempfunden wurde.

In der Version der *Sesamstraße*, die in Südafrika ausgestrahlt wird (dort *Takalani Sesame*), gibt es seit 2002 den HIV-positiven Charakter Kami, mit dem gegen die dort herrschende Diskriminierung von Aids-Erkrankten angekämpft werden soll.

Um ein fußballfeldgroßes Stück Regenwald zu retten, hätte man ein Jahr lang jeden Tag 470 Flaschen Krombacher trinken müssen.

Im Film *Harry Potter und der Gefangene von Askaban* wird vom Chor ein Zitat aus Shakespeares *Macbeth* gesungen.

Drumstick ist ein in einigen Granulozyten vorkommender trommelschlägelförmiger Chromatinanhang.

Ein blindes Huhn würde vielleicht auch mal ein Korn finden – wenn es denn welche suchen würde. Verbindet man nämlich einem Huhn die Augen, hört es sofort auf, nach Körnern zu picken, weil die Suche ja doch keinen Zweck hätte.

Wenn sich ein Mann niemals rasieren würde, würde sein Bart im Laufe seines Lebens etwa neun Meter lang werden.

Das Wort »armselig« geht auf die Bergpredigt zurück.

Die Produktionskosten für ein iPhone 4 belaufen sich auf etwa 187,51 US-Dollar.

Tony Marshall ist Ehrenbürger Bora Boras.

Die erste 0,5-Liter-Bierdose wurde in Haßloch hergestellt.

Im aus der Fernsehserie *Prison Break* bekannten Gefängnis Fox River (in echt Joliet Correctional Center) wurde die erste Hinrichtung durch den elektrischen Stuhl durchgeführt.

> **Papierrecycling ist wesentlich billiger als Neuherstellung. Damit hilft man nicht nur der Natur, sondern auch der Wirtschaft.**

Der Schwarze Ritter in Monty Pythons *Ritter der Kokosnuss* hat die gleiche deutsche Synchronstimme wie Homer Simpson.

Laut Wikipedia findet der Praxisunterricht von japanischen Fahrschulen auf Dächern von Gebäuden statt.

Aachen heißt auf Französisch Aix-la-Chappelle.

Der Fußballverein FC Bayern Alzenau spielt in der Hessenliga.

Edmund Hillary trug bei seiner Mount-Everest-Erstbesteigung eine Rolex.

In Schleswig-Holstein wurden 2,5 Millionen Euro für eine Brücke über eine Autobahn ausgegeben, über die Wildtiere gefahrlos von einem in den anderen Wald laufen können.

Wenn man nach Amerika fliegt und nie wieder zurückkommt, verliert man ungefähr sechs Stunden seines Lebens.

Das türkische Wort für »Birne« lautet »Armut«.

Die Nektarine ist eine Mutation des Pfirsichs.

In der Eskimosprache Inuktitut bedeutet »iminngernaveersaartunngortussaavunga« so viel wie: »Ich sollte versuchen, nicht Alkoholiker zu werden.«

Teigschaber werden im umgangssprachlichen Küchenjargon auch »Schlesinger« genannt.

Damit Jesus über das Wasser hätte laufen können, hätte er mit 70 km/h laufen müssen.

Bei jedem YouTube-Video wird die vorletzte Sekunde überspielt.

Der wissenschaftliche Name Gammaracanthuskytodermogammarus loricatobaicalensis stellt den bislang längsten vorgeschlagenen Namen für einen Organismus dar.

Französische Krankenschwestern arbeiten in einer normalen Schicht sieben Stunden und 36 Minuten, wie durch die Genossenschaft vereinbart wurde.

Der Name Maoam steht für »Mundet allen ohne AusnahMe«.

Wölfe können nicht richtig bellen, sie jaulen und heulen lediglich.

Die Seidenspringerraupe hat elf Gehirne.

In Egg/Schweiz gibt es eine Untere Obereggstrasse.

Das erste Mobilfunknetz enstand 1952 und hieß A-Netz. Das erste Netz für Handys hieß D-Netz (1991).

Die Flotte des Verkehrbetriebs Wiener Linien legt jeden Tag rund 181 000 Kilometer zurück. Das ist circa viereinhalb-mal so viel wie der Erdumfang.

Im Jahr 2004 war Ferreros Kinder-Pinguí-Werbung mit 3301 Ausstrahlungen der am dritthäufigsten gesendete Werbespot im deutschen Fernsehen.

Quecksilber schmeckt metallisch.

Bei der Serie *Two and a half Men* hat Jake Harper immer den gleichen Rucksack dabei.

Fahrer eines Leichenwagens benötigen keinen Personenbeförderungsschein (§ 58 Abs. 1 Nr. 1 des Personenbeförderungsgesetzes).

Madarose ist eine Lidrandentzündung mit Verlust der Wimpern.

Der heilige Isidor von Sevilla wurde am 7. Februar 2001 vom Papst zum Schutzpatron der Internetsurfer und Programmierer ernannt.

In Westminster Abbey ist es per Gesetz verboten zu sterben. Wenn trotzdem jemand dort stirbt, wird sein Totenschein auf das nächste Krankenhaus ausgestellt. Denn wer in der Westminster Abbey sterben würde, hätte ein Anrecht auf ein Staatsbegräbnis.

Wer nachweislich zum 25. Mal seinen Urlaub auf Barbados verbringt, wird von der dortigen Regierung zum Ehrenbürger ernannt.

Die russische Version von Pippi Langstrumpf heißt Peppi Dlinnyichulok.

In der Stadt Marshalltown ist es Pferden gesetzlich untersagt, Hydranten aufzufressen.

Das Cotard-Syndrom bezeichnet ein Krankheitsbild, bei dem die betroffene Person davon überzeugt ist, dass sie tot ist, nicht existiert, glaubt zu verwesen oder ihr Blut sowie innere Organe verloren zu haben.

Die ersten Tramhaltestellen Anfang des 20. Jahrhunderts wurden in der Nähe von Gaststätten und Kneipen eingerichtet, damit die Wartenden nicht im Regen stehen mussten.

> **Im Film *2001: Odyssee im Weltraum* von Stanley Kubrick heißt der Computer HAL. Wenn man im Alphabet jeweils einen Buchstaben weitergeht, entsteht daraus IBM.**

Die Abenteuer des Pinocchio erschienen 1905 erstmals in deutscher Sprache unter dem Titel *Hippeltitsch's Abenteuer*.

Der Stoff für das Spinnaker-Segel des Bootes Alinghi wiegt nur ein Drittel des Gewichts von Klopapier.

Es ist mehr als doppelt so viel Vitamin C in Rinderleber als in Äpfeln.

In Spanien gibt es einen Ferienort mit dem Namen Peniscola.

Die Pixar Animation Studios existieren mittlerweile seit 25 Jahren und konnten in dieser Zeit elf Animationsfilme in Spielfilmlänge entwickeln. Ausgezeichnet wurden diese mit insgesamt sieben Golden Globes und 29 Oscars.

viagra haelt
Schnittblumen
laenger frisch.

Ikea-Bleistifte haben eine Anfangslänge von 8,7 Zentimetern, einen Durchmesser von 0,7 Zentimetern und ein Gewicht von etwa 2 Gramm. Sie haben sechs Ecken und einen Ikea-Aufdruck.

Australische Meeresstrudelwürmer (Pseudoceros bifurcus) sind 6 Zentimeter lang, sehen aus wie durchgekauter Kaugummi und kämpfen mit ihren Geschlechtsteilen.

Es gibt bei der Berechnung des BMI (Body-Mass-Index) extra einen festgelegten Korrekturwert, falls bestimmte Gliedmaßen nicht vorhanden sind.

Laut der WISUR-Datenbank wird in Österreich alle 15 Minuten ein neues Unternehmen gegründet.

73 ist die 21. Primzahl. Die Spiegelzahl von 73 ist 37 und gleichzeitig die 12. Primzahl. 12 ist die Spiegelzahl von 21.

Durch den Verzehr von Schokolade werden Glückshormone freigesetzt – dafür verantwortlich ist Tryptophan.

In Papua-Neuguinea sagt man wegen der vielen Schlaglöcher: Wer betrunken ist, fährt geradeaus.

Wenn man in China ein Bier bestellen will und mit Daumen und Zeigefinger dem Kellner eine Zwei für zwei Bier zeigen will, bekommt man acht Bier.

Das Sexleben der ostaustralischen Mausmännchen ist sehr anstrengend. Denn jedes Jahr kommt es zu einer Massenpaarung. Während dieser kommen die Männchen kaum zum Fressen, da sie sich mit so vielen Weibchen wie möglich paaren und gegen andere Männchen kämpfen müssen.

Die menschliche Filzlaus stammt von der Filzlaus des Gorillas ab.

In der Activia-Werbung leiden immer nur Frauen an Blähungen.

> **Susi ist der beliebteste Kuhname in Bayern – gefolgt von Alma, Berta und Heidi; in der Schweiz sind es die Namen Fiona, Bella, Diana sowie Tina.**

Countrysängerin Dolly Parton ist die Patentante von Schauspielerin und Sängerin Miley Cyrus.

Die Deutsche Bahn fährt mit einer Netzfrequenz von 16 $^{2}/_{3}$ Hertz.

Nomophobie steht für »No Mobile Phone Phobia« und thematisiert die Angst der mobilen Unerreichbarkeit.

Auf Waschmaschinen stehen 90 oder 95 Grad, in Wirklichkeit waschen sie aber nur mit 83 Grad.

Der rechte Lungenflügel ist größer als der linke.

Elton Johns Geburtsname lautet Reginald Kenneth Dwight.

Konrad Adenauer gilt als Erfinder der Sojawurst.

2009 wurden bei »Rock am Ring« 350 Portemonnaies und 100 Handys gefunden.

Der durchschnittliche Schneefall am Südpol beträgt lediglich 28 Zentimeter pro Jahr, das Problem ist nur: Es taut nie.

Dirk Nowitzki war unterfränkischer B-Jugend-Tennismeister und war im Juli 2011 für den Spielbetrieb in der Kreisklasse 2 bei der TG Würzburg gemeldet.

Das ostwestfälische Jagdhornbläserkorps Hegering Harsewinkel ist vierfacher Deutscher Meister im Jagdhornblasen.

Die brasilianische Fußballlegende Pele ist seit 2005 Ehrenmitglied des Fußballvereins Rot-Weiß Essen.

Hält man Goldfische in dunklen Räumen, werden sie weiß.

Nach einer repräsentativen Befragung von Data 4U ist Super RTL, das Kinderprogramm, bei Deutschtürken mit 4 Prozent Marktanteil der meistgesehene deutsche Fernsehsender.

Auf der westlichen Seite des Zillertals sind die Kirchtürme rot und auf der östlichen Seite grün wegen der unterschiedlichen Diözesen Salzburg und Brixen.

Der bürgerliche Name der deutschen Schlagersängerin Michelle ist Tanja Shitaway.

Die Währung in der TV-Trickfilm-Serie *Captain Balu und seine Crew* heißt Champangas.

Wenn ein normaler Mann eine Flasche Wodka trinkt, dann hat er π (Pi) Promille im Blut.

Das Lied »Something in the Way« von Nirvana ist komplett mit verstimmten Instrumenten eingespielt. Der Abstand zum regulären Notensystem beträgt einen drittel Halbtonschritt.

Die Jungen des südamerikanischen Amphibiums Siphonops annulatus ernähren sich zunächst von der Haut ihrer Mutter.

In Besitz genommene Grundstücke können in Brasilien in der Regel nach fünf Jahren durch Eintragung in das Grundbuch in rechtliches Eigentum überführt werden.

Singapur ist bisher der einzige Staat der Erde, der gegen seinen Willen die Unabhängigkeit erhalten hat – nach Ausschluss aus der Föderation mit Malaya, Sarawak und Sabah 1965.

Botanisch gesehen haben Kakteen Dornen, nicht Stacheln.

Morten Harket von A-ha ist Europas Rekordhalter für die am längsten gesungene Note. Auch live schafft er die 20,2 Sekunden im Song »Summer Moved On« problemlos.

Apple hat die Pläne für einen neuen Kinder-iPod auf Eis gelegt, nachdem erkannt wurde, dass iTouch Kids kein guter Produktname wäre.

Eine Kartoffel hat mehr Chromosomen als ein Mensch.

Joseph Haydn hatte einen sprechenden Papagei, der unter anderem den Anfang des Kaiserliedes singen konnte, dessen Melodie heute für die deutsche Nationalhymne genutzt wird.

1 Million Euro ist in 100-Euro-Scheinen gestapelt 17 Zentimeter hoch. Zum Vergleich: Der Schuldenberg von Griechenland wäre 54 Kilometer hoch.

Der bekannte SMS-Ton von Nokia namens »Spezial« ist der Morsecode für SMS: ... - - ...

Die University of Gloucestershire fand 2003 heraus, dass das Spielen von »Half-Life« zur Heilung von Arachnophobie beiträgt und das Spielen von »Unreal Tournament« bei Acrophobie und Klaustrophobie hilft.

Die höchste Erhebung der Malediven ist etwa zwei Meter hoch.

Seit 2010 ist Nouruz auf Beschluss der 61. Generalversammlung der Vereinten Nationen als internationaler Nouruz-Tag anerkannt. Die Generalversammlung stellte in ihrer Erklärung fest, dass Nouruz ein Frühlingsfest persischen Ursprungs sei.

Bis 1934 trug Iran den offiziellen Namen Persien.

> **Die Anfangsmelodie der Serie *The Big Bang Theory* ist im Deutschen um einiges schneller als im Englischen.**

Mit Autodeterminismus wird eine Philosophielehre der freien Willensbestimmung bezeichnet.

Akte X – die unheimlichen Fälle des FBI (*The X-Files*) war 2000 die erste Serie der Welt, die auf DVD veröffentlicht wurde.

Der Äthiopier Abebe Bikila gewann den Marathon der Olympischen Spiele 1960 in Rom barfuß.

Die Szenen im Film *Band of Brothers*, die in Zell am See/Österreich spielen, wurden in der Schweiz am Brienzersee aufgenommen. Ebenso findet das Baseballspiel am Schluss nicht in Österreich statt.

Bei Weinbergschnecken dauert der Sex 180 Minuten.

Mark Zuckerberg, Gründer von Facebook, hat einen Abschluss an der Harvard University.

Am 2. Juni ist der Internationale Hurentag.

Der koreanische Elektronikkonzern LG stellte in den Anfängen keine elektronischen Geräte her, sondern Cremes.

Ein Pfund Stubenfliegen hat mehr Proteine als ein Pfund Rindfleisch.

Jason Derulo wollte seinen Hit »In my Head« eigentlich »In my Bed« nennen, hat sich jedoch im letzten Moment umentschieden.

In England ist es schwangeren Frauen erlaubt, an jedem beliebigen Ort zu urinieren, selbst wenn es sich dabei um den Helm eines Polizisten handelt.

Valhalla gibt es wirklich, es liegt in den USA im Staat New York.

Im Lateinischen gibt es kein eigenes Wort für »ja«.

Rosinen können auch Sultaninen, Korinthen oder Zibeben genannt werden, je nachdem, aus welcher Traubensorte sie entstanden sind.

Bei einer Dose Cola ist die Dose selbst mehr wert als der Inhalt.

Der walisische Fußballer Gareth Bale von Tottenham Hotspur und Oscar-Preisträger Christian Bale (*The Dark Knight, The Fighter*) sind miteinander verwandt.

Als die polnische Literaturnobelpreisträgerin Wisława Szymborska anonym an einer polnischen Abiturprüfung teilnahm, in der sie ihren eigenen literarischen Text interpretieren sollte, bekam sie nur 60 Prozent der erreichbaren Punkte.

> **Die British Standards Institution hat für ihre sechs Seiten umfassende Norm BS-6008, die beschreibt, wie man eine Tasse Tee richtig aufbraut, 1999 den Ig-Nobelpreis für Literatur gewonnen.**

Ein Kapuzineräffchen braucht etwa acht Jahre – also ungefähr 38 Prozent der durchschnittlichen Lebenszeit –, um zu erlernen, wie man eine Nuss knackt.

Isaac Newton war bis zu seinem Tod im Alter von 84 Jahren Jungfrau und galt damit damals als älteste männliche Jungfrau.

Winnie Pooh (deutsch: Winnie Puuh) hat einen Stern auf dem Walk of Fame in Hollywood.

Definition von Gehen: Gehen ist der Versuch, nicht zu fallen.

Schutzpatronin der Zahnärzte ist die heilige Apollonia.

In Deutschland ist es juristisch erlaubt, nackt Auto zu fahren. Man muss jedoch bekleidet ein- und aussteigen.

Bei den Olympischen Spielen 1920 in Antwerpen konnte man die italienische Nationalhymne nicht finden und spielte stattdessen »O sole mio« des neapolitanischen Komponisten Eduardo Di Capua.

Der Text des Lieds »Das Wandern ist des Müllers Lust« stammt von Wilhelm Müller (1794–1827).

Es wurden bereits 105 878 Menschenjahre mit dem Spielen von Facebook-Spielen verbraucht.

Lomo ist eigentlich eine Abkürzung für einen sowjetischen Kamera-Hersteller und bedeutet »Leningradskoye Optiko Mechanicheskoye Obyedinenie«.

Alfred Hitchcock hatte eine Aversion gegen Eier.

Im Durchschnitt isst ein Mensch pro Jahr etwa vier Spinnen im Schlaf.

In Tirol (Bezirk Reutte) gibt es einen Ort namens Namlos.

Wer als Frau in Deutschland 40 Jahre alt ist, dazu Hochschulabsolventin und immer noch Single, wird statistisch eher von einem Terroristen ermordet als von einem gewöhnlichen Mann geheiratet.

Die Rechte einer Fluggesellschaft, eine regelmäßig genutzte Start-/Landezeit in der Folgesaison erneut nutzen zu dürfen, heißen »Großvaterrechte«.

In der Schweiz ist jeder Hausbesitzer beim Bau eines neuen Hauses verpflichtet, einen Luftschutzbunker zu bauen.

> •
>
> **Traubenzucker wird nicht etwa aus süßen Trauben gewonnen, sondern aus Maisstärke, Kartoffeln oder Weizen.**
>
> •

Das Bild, das Ted aus der Serie *Scrubs – die Anfänger* in seinem Büro stehen hat, ist auch in Wirklichkeit das seiner Mutter.

Die erste jemals in Deutschland gezogene Lottozahl war eine 13. Die anderen Zahlen der ersten Lottoziehung, die am Sonntag, den 9. Oktober 1955 stattfand, waren 41, 3, 23, 12 und 16.

Im katalanischen Krippenspiel gibt es neben den üblichen Figuren wie Jesus oder einem Schaf eine Figur mit heruntergelassener Hose, die gerade ihr Geschäft verrichtet hat.

Bastian Schweinsteiger hat sechs Paar Fußballschuhe, zwischen denen er vor dem Spiel wählt.

Der sogenannte Normschiss ist ein Dummy einer menschlichen Kotladung. Er wird in verschiedenen Gebieten der Forschung eingesetzt.

Es gibt keine blauen Gummibärchen, weil es in der Natur keine Pflanzen gibt, aus denen ein akzeptabler blauer Farbstoff gewonnen werden könnte.

Abraham Lincoln (16. Präsident der USA) und Charles Darwin (britischer Naturforscher) wurden beide am 12. Februar 1809 geboren.

Der Film *Star Wars Episode V – Das Imperium schlägt zurück* steht in der Filmbibliothek für schützenswerte Filme des US-Kongresses.

Ein 1,80 Meter hoher Tannenbaum hat durchschnittlich in etwa 365 000 Nadeln.

Wenn man sich ein YouTube-Video immer und immer wieder ansehen möchte, ohne immer wieder auf die lästige Playtaste zu drücken, muss man zwischen dem »youtube« und dem ».com« einfach »repeat« eingeben, also »youtuberepeat.com«/...

Das vatikanische Gefängnis weist nur Platz für zwei Personen auf und wird derzeit als Lagerraum verwendet.

Die offizielle Abkürzung des italienischen Bundesverbands für Kanurennsport lautet F. I. C. K. für »Federazione Italiana Canoa Kayak«.

Die größte beim Schlafwandeln zurückgelegte Entfernung schaffte 1987 der elfjährige Michael Dixon aus dem US-Bundesstaat Illinois: 160 Kilometer. Er hatte schlafwandelnd einen Zug bestiegen.

Der Klima-Michel ist die Modellfigur für die gefühlte Temperatur. 35 Jahre alt, 1,75 groß und 75 Kilogramm schwer. Er geht in ruhigem Tempo und ist der Temperatur angemessen gekleidet.

Ein Mensch verbraucht in seinem Leben im Schnitt etwa 30 Kilometer Zahnseide.

World-of-Warcraft-Accounts von Verstorbenen dürfen nur aufgrund eines notariell beglaubigten Testaments an jemand anderen weitergegeben werden.

Den Londoner Park Coram's Fields dürfen Erwachsene nur in Begleitung eines Kindes betreten.

Die Serie *King of Queens* wurde hauptsächlich in einem Vorort von Los Angeles gedreht.

In einem Qualifikationsspiel zur Fußball-WM 1954 spielte die bundesdeutsche Nationalmannschaft gegen das Saarland.

Unter dem Sand der Wüste Sahara befindet sich genug Wasser, um den gesamten Fluss Nil 500 Jahre damit zu versorgen.

2008 fiel Christi Himmelfahrt mit dem Tag der Arbeit (1. Mai) zusammen. Diese Konstellation tritt nur sehr selten auf, zuvor zuletzt im Jahr 1913 und nach 2008 erst wieder 2160.

Bei den *Simpsons* klingelt jedes Telefon, egal in welchem Haus, gleich.

Fanta und Mezzo Mix sind deutsche Erfindungen.

Fanta ist inzwischen eine der Marken der Coca Cola Company.

Laut Google Maps braucht man zu Fuß von Saarbrücken nach Berlin fünf Tage und 18 Stunden.

Als 2005 ein überführter Räuber zu 30 Jahren Gefängnis verurteilt wurde, bat der erklärte Fan von Celtics-Legende Larry Bird den Richter in Anlehnung an die Trikotnummer seines Idols um Anhebung der Strafe auf 33 Jahre.

Der Hit »Barbra Streisand« von Duck Souce beinhaltet große Teile des Schlagers »Hallo Bimmelbahn« von der Gruppe Night Train.

Die Wendung »gefühlte Temperatur« stammt von Wettermoderator Jörg Kachelmann.

Die Schauspielerin Nichelle Nichols – Lt. Nyoto Uhura aus Star Trek – arbeitete bis 1987 für die NASA und war dort im Personalwesen tätig. Sie rekrutierte neue Mitarbeiter.

Das deutsche Wort »Weltschmerz« lautet ins Englische übersetzt auch »Weltschmerz«.

Die Fähigkeit des Zungenrollens ist genetisch vererbbar. Das Gen, welches das Zungenrollen überträgt, ist außerdem dominant.

Lewis Carroll litt an einer Krankheit, die man das Alice-im-Wunderland-Syndrom nennt. Es ist nach seinem Roman benannt und äußert sich darin, dass der Betroffene seine Umgebung in falschen Proportionen sieht, die Dinge also größer oder kleiner wirken.

Der Gangster-Rapper Bushido ist Mitglied in der Beamtenwohnungsgenossenschaft Berlin.

> **Ein Bestandteil von Haribos Goldbären ist Spinat.**

In der norddeutschen Stadt Wismar gibt es eine Tittentasterstraße.

Die Zeichentrickfiguren Timon und Pumba sprechen die afrikanische Sprache Swahili. »Hakuna matata« bedeutet »keine Sorgen«.

Die Eltern Tanner aus dem Film *Alf* heißen ebenso wie das königliche Brautpaar Kate und William.

Im siebten *Harry-Potter*-Teil ist Lord Voldemort 70 Jahre alt.

Orcas atmen beim Reisen in Gruppen gleichzeitig.

Bambi ist kein Reh, sondern ein Weißwedelhirsch.

Der Schauspieler und Martial-Arts-Experte Jackie Chan spielte 1975 in einem Porno mit dem Titel *All in the Family* mit.

Es gibt eine Laufkäferart, die wegen ihrer stark ausgeprägten Gliedmaßen Agra schwarzeneggeri heißt.

Laut EU-Verordnung muss jedes Bundesland ein Seilbahngesetz erlassen. Das gilt auch für Länder wie Mecklenburg-Vorpommern oder Schleswig-Holstein, die überhaupt keine Seilbahnen haben.

In 90 Prozent aller Fälle handelt es sich bei »Mann über Bord« um Männer, die betrunken vom Heck pinkeln und dabei von Bord fallen.

Wenn man in Russland aus romantischen Beweggründen Blumen verschenkt, muss es immer eine ungerade Anzahl sein. Eine gerade Anzahl wird nämlich nur bei Beerdigungen gewählt.

Das Sprichwort »zwei Fliegen mit einer Klappe schlagen« wird im Englischen mit »zwei Vögel mit einem Stein treffen« übersetzt.

Die mit Paniermehl und Schweinefleisch gefüllten Ravioli in Tomatensoße von Maggi waren 1958 das erste Nudel-Fertiggericht in Deutschland.

Der 21. Januar ist der Tag der Jogginghose.

Da der US-Schauspieler Harrison Ford der Umweltorgaisation Conservation International über 5 Millionen Dollar gespendet hat, trägt eine neu entdeckte Spinnenart nun seinen Namen.

Die deutschen Orte Sargleben und Todendorf besitzen beide keinen Friedhof.

Homer Simpson wiegt trotz seiner Fülle nur 139 Pfund.

Nur 25,45 Prozent der Einwohner von Miami sprechen zu Hause Englisch, 69,4 Prozent jedoch Spanisch.

Aufgrund des erhöhten Alkoholkonsums und der gehäuften Massenveranstaltungen gibt es statstisch betrachtet am Vatertag erheblich mehr Schlägereien als an gewöhnlichen anderen Tagen.

Kryptonit, Supermans einzige Schwäche, wurde nur erfunden, um einen Stimmenwechsel von Superman in der Superman-Radio-Show zu erklären, der auftrat, weil der erste Sprecher erkrankt war.

Der Ehemann von Sängerin P!nk (Carey Hart) zeigte als erster Mensch einen Backflip auf einem Motorrad.

Die maximale Geschwindigkeit, mit der sich die Erde um die Sonne bewegt, beträgt 30,29 Kilometer pro Sekunde, die minimale Geschwindigkeit 29,29 Kilometer pro Sekunde. Die mittlere Geschwindigkeit beträgt 29,78 Kilometer pro Sekunde, das sind 107,208 km/h.

In den menschlichen Mund passt die ganze Zunge eines anderen Menschen – also zwei Zungen in einen Mund.

Statistisch gesehen ist die Wahrscheinlichkeit, dass man die nächsten 365 Tage in Deutschland nicht überlebt, 1 : 80.

Carlo Pedersoli gab sich aufgrund seiner Vorliebe für Budweiser-Bier und in Anlehnung an seinen Lieblingsschauspieler Spencer Tracy den Künstlernamen Bud Spencer.

Der Norweger Johan Vaaler hat um 1900 die Büroklammer erfunden.

Katzen und Hunde sollten kein Schweinefleisch fressen, da im Schweinefleisch ein Virus vorhanden sein kann, der die Aujeszky'sche Krankheit (Pseudowut) auslöst. Für Katzen endet diese nicht behandelbare Infektion innerhalb weniger Tage immer tödlich.

1946 brachte Disney den Film *The Story of Menstruation* heraus.

Der Catwalktrainer von Germanys Next Topmodel 2011, Jorge González, der für seine mörderischen High Heels bekannt ist, studierte in Bratislava Nuklearökologie.

Die Wartezeit für Eintrittskarten bei *Wer wird Millionär* beträgt etwa 20 bis 22 Monate.

Nach China dürfen pro Jahr nur 25 ausländische Filme importiert werden.

Slavko Avsenik, Erfinder des Oberkrainer-Sounds, war ursprünglich Skispringer und als solcher auch Mitglied der Nationalmannschaft des ehemaligen Jugoslawien.

Bravo-Hits 1 erschien am 21. April 1992 und war nur auf Kassette erhältlich. Unter den Interpreten war damals sogar Hape Kerkeling.

> **Die Band Seeed schreibt sich mit drei »e«, weil alle drei Spitznamen der Sänger mit E anfangen: Pierre alias Enuff, Demba alias Ear, Frank alias Eased.**

Goofy heißt auf Französisch Dingo.

Eine Milchschnitte hat mehr Kalorien als ein Stück Schoko-Sahne-Torte.

Bob Andrews aus die *Drei ???*, John Cusack, Edward Norton und Gollum haben dieselbe deutsche Synchronstimme: die von Andreas Fröhlich.

1000 Schneeflocken bilden zusammen ein kleines Häufchen.

Der berühmteste Darsteller der Werbefigur Marlboro-Cowboy, Wayne McLaren, starb 1992 an Lungenkrebs.

Die US-Armee gibt spezielle Uniformen für schwangere Soldatinnen heraus.

Weicht die Höhe einzelner Treppen um nur zwei Millimeter ab, stolpern die meisten Menschen.

Das Wort »Grundstücksverkehrsgenehmigungszuständigkeitsübertragungsverordnung« hat 67 Buchstaben.

Amerika gibt es seit dem 4. Juli 2011 235 Jahre. Davon war es über 200 Jahre in irgendeinen Krieg verwickelt.

Der medizinische Verfall des Körpers beginnt mit 25 Jahren.

Eine CD dreht sich beim Abspielen des ersten Lieds schneller als beim Abspielen des letzten.

»Zwischenzehenstegsandale« ist die korrekte Bezeichnung für Flip Flops.

Die Grundprinzipien der Arbeit des Deutschen Institutes für Normung (DIN) sind in der Norm DIN 820 festgelegt.

Im Song »We Will Rock You« von Queen kommt insgesamt 82-mal der bekannte Rythmus aus Stampfen und Klatschen vor.

Die etwa 1400 Einwohner der Gemeinde Büsingen am Hochrhein leben in der einzigen Exklave Deutschlands. Das bedeutet, dass die 7,6 Quadratkilometer umfassende Gemeindefläche komplett von Schweizer Staatsgebiet umschlossen ist.

Ein Quäntchen sind 3,65 Gramm.

Jede Folge von *Scrubs – die Anfänger* beginnt mit »Mein/-e/-r« außer in der letzten Staffel, da beginnt jede Folge mit »Unser/-e«.

Der 18. Oktober ist der Internationale Tag der Krawatte.

Die Spielshow *Die perfekte Minute* läuft zwei Stunden und fünf Minuten.

In fast jeder Folge von *Scrubs – die Anfänger* wird Schwester Lori Nelson ausgerufen, man sieht sie jedoch niemals.

Viel Gin Tonic zu trinken galt früher als vorbeugende Maßnahme gegen die Krankheit Malaria.

Das Geräusch der männlichen Mücken hat eine Frequenz von etwa 600 Hertz. Dagegen kommen die Weibchen nur auf etwa 550 Hertz.

Die Waffe Glock wird zwar in Österreich hergestellt, der Besitz ist in Österreich aber allen Nichtpolizisten verboten.

Der Werbeslogan von Mc Donald's »I'm lovin' it« ist grammatikalisch falsch, da es von dem Verb »love« keine Verlaufsform gibt.

Fotos vom Eiffelturm bei Nacht und dessen eingeschalteter Beleuchtung dürfen nicht ohne Weiteres veröffentlicht werden, weil die Beleuchtung an sich einem Copyright unterliegt.

Als Kranzgeld bezeichnete man eine finanzielle Entschädigung, die eine Frau von ihrem ehemaligen Verlobten fordern konnte, wenn sie ihm aufgrund eines Eheversprechens die Beiwohnung gestattet hatte, also die Jungfräulichkeit verlor, und er sie anschließend nicht heiratete.

Der jüngste Fußballer unter Vertrag ist der einjährige Baerke van der Meij, der vom Erstligisten VVV-Venlo einen Profivertrag erhalten hat.

Jägermeister gefriert bei – 17,5 Grad Celsius.

Das erklärte Staatsziel Nummer eins von Bhutan ist Glück.

Die Filmmusik zu *Troja* ist aus Schostakowitschs 5. Sinfonie.

Bei der Fußball-WM 2006 verteilte die niederländische Brauerei Bavaria 250 000 Lederhosen mit ihrem Logo an Fußballfans.

Der Unterschied zwischen Männer- und Frauenkleidung ist unter anderem der, dass die Knöpfe bei Frauenblusen oder -hosen von rechts nach links geschlossen werden und bei Männern von links nach rechts.

Exhibitionismus ist nur Männern verboten und auch nur, sofern sie damit jemanden belästigen.

Alkoholfreies Bier ist isotonisch.

Der Großteil der Kleidung des Dude, des Protagonisten aus *The Big Lebowski*, stammt von dessen Darsteller Jeff Bridges selbst.

Ein Einkaufswagen besteht aus etwa 218 Metern Draht.

Der Name Lego leitet sich vom dänischen »leg god« im Sinne von »spiel gut« ab.

In der Serie *Two And A Half Men* wird als Bier vorwiegend Radeberger Pilsener getrunken.

Trotz der vielen Ratten, die die Elendsviertel von New York City bevölkern, werden im Jahr durchschnittlich nur 311 Bürger von ihnen gebissen. Jedoch werden jährlich etwa 1519 Einwohner von anderen New Yorkern gebissen.

Das Budget für den ersten *Halloween*-Film war so gering, dass alle Schauspieler statt Kostümen ihre eigene Kleidung tragen mussten.

Die erste Tankstelle der Welt steht in Wiesloch und wurde von Bertha Benz bei ihrer berühmt geworden Überlandfahrt 1888 aufgesucht.

Phillumenie bezeichnet das krankhafte Sammeln von Streichholzschachteln.

Leo Beenhakker ist der erste Profifußballtrainer der Welt, der entlassen wurde, nachdem seine Mannschaft einen zweistelligen Sieg errungen hatte.

Ägypten war 1949 Basketball-Europameister.

Der Furz war im alten Ägypten eine Gottheit.

Ein DIN-A0-Blatt entspricht 16 DIN-A4-Blättern.

Der populäre Filmkiffer Tommy Chong (*Viel Rauch um Nichts*) wurde 2003 zum Ziel einer Ermittlung mit dem Codenamen »Operation Pipe Dreams«. Ihm wurde vorgeworfen, Werbung für Haschischpfeifen und Bongs mit den Namen »Chong Glass« und »Nice Dreams« zu machen.

Der Moldauhafen in Hamburg ist bis zum Jahr 2028 an die Tschechische Republik verpachtet.

2008 veröffentlichte der englische Flughafen St. Marys eine Stellenanzeige für Fluglotsen. Um niemanden zu diskriminieren, wurde die Anzeige auch in Blindenschrift veröffentlicht.

Die meisten Babys weinen auf die Töne C oder Cis.

In der Ténéré, einer Wüste im Norden Nigers, wurde der einzige Baum im Umkreis von mehreren Hundert Kilometern 1973 von einem Trucker umgefahren.

Yumenmi Kobo ist eine japanische Maschine, die gegen Schlaflosigkeit helfen soll. Sie verspricht acht Stunden Schlaf und den perfekten Traum.

Australische Forscher entwickelten einen Stromgenerator, der von Bananen angetrieben wird. Nachdem der Versuch im Labor erfolgreich war, soll nun ein Bananen-Kraftwerk folgen.

1977 musste der Eurovision Song Contest um fünf Wochen verschoben werden, da die Kameraleute von BBC streikten.

Der Astronom Paula Gruithuisen (1774–1852) wollte mit den Mondbewohnern in Verbindung treten, indem er in Sibirien Zuckerrüben anpflanzte und so gigantische Zeichen erstellte.

Die EU-Verordnung 97/2010 regelt, dass eine Pizza Napoletana einen Durchmesser von höchstens 35 Zentimetern haben darf, der Teigrand soll einen bis zwei Zentimeter dick sein und das Innere nur 0,4 Zentimeter (+/− 10 Prozent).

Die meisten Produkte von Peugeot stehen nicht in Garagen, sondern in Küchen.

McDonald's betreibt auch für die drei Filialen auf den Fidschi-Inseln eine Homepage: http://mcdonaldsfiji.com/.

Die russische Atombehörde heißt Rosatom.

In Vancouver versuchte ein Cannabis-Züchter, seine Plantage von Bären bewachen zu lassen. Die Bären waren allerdings von morgens bis abends »bekifft«, sodass das Grundstück mühelos von den Behörden entdeckt und erkundet werden konnte.

Das brasilianische Unternehmen PetSmiling brachte 2009 »Doggie Lover Doll« auf den Markt, eine lebensgroße Hündin aus Weichgummi – für die einsamen Stunden unserer vierbeinigen Freunde.

Der Mond wiegt $7{,}348 \times 10^{22}$ Kilogramm.

Rentiere sind die einzigen Hirsche, bei denen Männchen und Weibchen ein Geweih tragen.

Elefantenbabys trinken Muttermilch mit dem Mund, nicht mit dem Rüssel.

Bis zum 3. September 1967 galt in Schweden Linksverkehr. Am Tag der Umstellung auf Rechtsverkehr (Dagen H) war zwischen ein und sechs Uhr jeglicher Fahrzeugverkehr verboten, um die Umstellung nicht zu behindern.

In der modernen Kriminalistik gehört der Columbo-Effekt – das Vortäuschen von Unkonzentriertheit oder Dusseligkeit – und dessen Nutzung zu den anerkannten Methoden des kriminalpolizeilichen Verhörs.

Eine **Gruppe** evangelikaler
Christen in **Brasilien**
verbietet ihren **Anhaengern**
die Nutzung von **USB,**
da das **Symbol an** den
Dreizack des **Teufels** erinnert.

Die flächenmäßig größte deutsche Stadt nach Berlin (891,85 Quadratkilometer) und Hamburg (755,29 Quadratkilometer) ist Gardelegen im Altmarkkreis Salzwedel in Sachsen-Anhalt (632,24 Quadratkilometer).

Der weibliche Löcherkrake ist bis zu zwei Meter lang und zehn Kilogramm schwer. Das Männchen hingegen ist nur drei Zentimeter lang und ein Viertel Gramm schwer. Es ist gerade mal so groß wie das Auge des Weibchens, das 40 000-mal schwerer sein kann als ihr Partner.

Das Wasserkraftwerk Kesselbach wurde 1919 gebaut, um Strom für den Bau des Walchenseekraftwerkes zu liefern.

Die Zigarettenmarke Marlboro ist nach dem englischen Earl of Marlborough benannt und wurde 1924 als Damenzigarette mit rosa Filter in den USA eingeführt.

Kaiser Napoleon III. lobte Mitte des 19. Jahrhunderts eine Belohnung von 100 000 Goldfranc für denjenigen aus, der die Margarine erfindet.

Der »Piccolo« war bereits um 1900 als Quart-Flasche bekannt und diente vor allem zur Vermarktung des über Apotheken und Krankenhäuser vertriebenen Medicinal-Sects.

Das Dromedar auf dem Logo der Zigarettenmarke Camel hatte den Namen Old Joe.

Das amerikanische Eis Häagen-Dazs stammt von einem polnischen Einwanderer. Der Markenname war eine Erfindung seiner Frau.

Die Klosterfrau, die uns den Melissengeist brachte – Maria Clementine Martin (1775–1843), gehörte zum Orden der Unbeschuhten Karmelitinnen.

Von Papst Pius XII. erhielt Konrad Adenauer im Jahr 1955 den Orden vom goldenen Sporn und damit theoretisch auch das Recht, in katholische Kirchen auf einem Pferd sitzend einzureiten.

Gonzo, der Stuntman aus der *Muppet Show*, ist ein Außerirdischer.

Surströmming – ein vergorener Ostseehering, der extrem riecht – gilt in Schweden als Delikatesse. In Köln wurde einer Frau die Wohnung fristlos gekündigt, weil sie die Tunke im Treppenhaus verteilt hatte. Das Landgericht Köln bestätigte die Kündigung, nachdem im Saal eine Dose davon geöffnet wurde. An Bord von Air France und British Airways ist er wegen Explosionsgefahr verboten.

Der Leberwurstbaum (Kigelia africana) ist eine Pflanze aus der Familie der Trompetenbaumgewächse. Die Patenschaft für den Leberwurstbaum im Botanischen Garten Berlin hat die ansässige Fleischerinnung übernommen.

Bei einem leidenschaftlichen Zungenkuss werden durchschnittlich 0,7 Gramm Proteine, 0,45 Gramm Fett, 0,19 Gramm andere organische Substanzen und bis zu 250 verschiedene Bakterien und bis zu 40 000 Parasiten ausgetauscht.

Es gab keinen Papst mit dem Namen Johannes XX., da der 20. Papst dieses Namens sich aufgrund eines Überlieferungsfehlers für die Zählung als Johannes XXI. entschied.

Bundespräsident Theodor Heuss schrieb 1935 für die Firma Beiersdorf den Werbeslogan: »Wir turnen, wir rennen, wir baden – Nivea bewahrt uns vor Schaden.«

Der Rangierbahnhof in Maschen (ein kleiner Ort südlich von Hamburg) ist der größte seiner Art in Europa und der zweitgrößte der Welt.

Der Gründer der Sekte Jesus Freaks, Martin Dreyer, hat ein Gebet versteigert. Bei eBay bot er an, für den Höchstbietenden sieben Monate lang mindestens einmal wöchentlich zu beten. Die Auktion endete mit einem Höchstgebot von 232 Euro.

Es gibt 14 verschiedene Champagner-Flaschengrößen von Piccolo (0,2 Liter) bis Melchisedech (30 Liter).

Käptn Iglo hieß mit bürgerlichem Namen Clarence Birdseye.

Das Sekret, mit dem Biber ihr Revier markieren, heißt Bibergeil.

Zur Erstellung des zwölfminütigen Films *Regen* hat Joris Ivens rund vier Monate lang Regenschauer in Amsterdam aufgenommen.

In der Kurzoper *Guten Morgen Hose* von 1984 tötet ein Vater einen liebestollen Teppich, nachdem bereits eine um seine Tochter werbende Hose seinen Zorn erregt hat.

In Afrika gibt es rund 13 Quadratkilometer Gletscher.

Eine Studie besagt, dass 33 Prozent der Frauen im Alter von 18 bis 34 Jahren morgens zuerst ihr Profil bei Facebook abrufen, noch bevor sie ins Bad gehen, Kaffee kochen etc.

Der bei Microsoft intern verwendete Name für das Betriebssystem Windows Vista lautet Longhorn.

Aleksandar Matijasevic lehrte fast 30 Jahre lang Philosophie und Soziologie an der Universität Priština im Kosovo, bevor 1994 herauskam, dass er weder einen Hochschul- noch einen Schulabschluss hatte. Bei seiner Bewerbung hatte er nur ein einziges Zeugnis vorgelegt: die erfolgreiche Teilnahme an einem Volkshochschulkurs in Göttingen.

Für die Rolle der Scarlett O'Hara in der Verfilmung von *Vom Winde verweht* wurde ursprünglich Paulette Goddard ausgesucht. Diese konnte jedoch keine Heiratsurkunde für ihre Ehe mit Charlie Chaplin vorweisen und wurde daher als moralisch unhaltbar angesehen.

1086 ließ der Normanne William der Eroberer den Wert des besiegten England schätzen. Das im Domesday Book *aufgezeichnete Inventar ergab für ganz England einen Immobilienwert von 73 000 Pfund.*

1981 hat Mauretanien als letztes Land der Erde die Sklaverei und den Sklavenhandel verboten.

Die Menge an DNA sagt nichts über den Entwicklungsgrad eines Lebewesens aus. Der eher primitive Lungenfisch hat pro Zelle 40-mal so viel DNA wie der Mensch, einige Farnarten haben mehr als 600 Chromosomen – der Mensch nur 46.

Das weltweit erste Rasenmäher-Patent wurde am 31. August 1830 dem Briten Edwin Beard Budding verliehen. Den ersten nicht mit Menschenkraft betriebenen Rasenmäher baute 1841 der Schotte Alexander Shanks – seine Maschine wurde von einem Pony angetrieben.

In Deutschland wurde die erste Fahrerlaubnis im Jahr 1888 für Carl Benz, den Erfinder des Automobils, ausgestellt. Österreich folgte 1889 mit einer ersten Verordnung der Statthalterei von Niederösterreich. In der Schweiz wurden erste Fahrprüfungen im Jahr 1890 abgenommen.

> **Die erste Hypothese, dass das Kommen und Gehen der Eiszeiten mit Schwankungen der Erdumlaufbahn zu tun haben könnte, veröffentlichte 1864 der Schotte James Croll. Er arbeitete damals an der Anderson's University in Glasgow als Pförtner.**

Das Wort »Chauffeur« kommt aus dem Französischen und heißt eigentlich »Heizer«. Von der Berufsbezeichnung für den Heizer auf der Dampflok wurde es nach Erfindung des Autos auf dessen Fahrer übertragen – obwohl weder der Heizer die Bahn fährt noch der Fahrer sein Auto heizt.

Das einzige Wort, das viele Sprachen in aller Welt aus dem Malaiischen entlehnt haben, ist »Amok«. In Malaysia gab es in Kriegssituationen die Sitte, sich mit Opium zu berauschen und dann unter lauten »amok«-Rufen mit dem Dolch seine Feinde zu attackieren.

Das Fürst-Pückler-Eis (Schoko, Erdbeer, Vanille) haben weder Fürst Pückler noch sein Leibkoch erfunden, sondern ein Konditor aus der Lausitz namens Schulz.

Den Ausdruck »Luftschloss« kennen auch die Briten als »castle in the air«. Die Franzosen hingegen bauen »chateaux en Espagne«, »Schlösser in Spanien«.

Die Nachricht vom Herannahen der spanischen Armada wurde 1588 in nur 20 Minuten von Plymouth ins 300 Kilometer entfernte London übertragen. Übertragungsweg war eine Kette von Feuerstellen auf Anhöhen, die die Lichtsignale an die jeweils nächstgelegene Feuerstelle weitergaben.

Im Sommer 1892 wütete in Hamburg eine schwere Cholera-Epidemie, an der 8000 Menschen starben. Die Zeitung *Lübecker Blätter* machte als Ursache für die Epidemie eine damals ganz neue Errungenschaft aus: Toiletten mit Wasserspülung. Sie forderte daher: »Grundsätzlich weg mit den Wasserklosetts, je eher, desto besser!«

Man kann Pferden zwar beibringen, sich auf die Seite fallen zu lassen, aber nur auf eine Seite: Pferde, die nach links fallen können, stürzen niemals nach rechts und umgekehrt. Bei Dreharbeiten für Reiterschlachten werden deshalb etwa gleich viel »rechts- «und »linksfallende« Pferde gecastet.

Als vom Minarett der Moscheen noch kein Lautsprecher, sondern ein echter Muezzin zum Gebet rief, wurde dieses Amt bevorzugt an Blinde übertragen. Damit war sichergestellt, dass sie nicht in die benachbarten Höfe der Häuser gucken und eventuell eine unverschleierte Frau sehen konnten.

Wenn man die Proportionen der Venus von Milo (vor 2500 Jahren geschaffen und Inbegriff für weibliche Schönheit) hochrechnet, trägt sie Konfektionsgröße 44.

Ende des 16. Jahrhunderts behauptete der Jesuit Francis Ribera, er habe den Ort entdeckt, an dem sich die Hölle befindet: im Innern des Mondes. Sein Ordensbruder Leonhardus Lessius widersprach ihm mit der Aussage: Die von Ribera angegebene Größe der Hölle würde 800 Milliarden Sündern Platz bieten, es würde aber nur Platz für maximal 100 Milliarden gebraucht.

Auf Anraten französischer Ärzte wurde 1883 beim Bau des Panamakanals angeordnet, die Pfosten der Arbeiterbetten zum Schutz vor Malaria in Wassereimer zu stellen. Die Eimer wurden allerdings zu Brutstätten der Malaria-Mücken, sodass sich die Krankheit rasend schnell ausbreitete und das Bauprojekt abgebrochen werden musste.

Von den 128 weltweit bekannten Kuckucksarten legen nur etwa 50 ihre Eier in fremden Nestern ab. Der südamerikanische Kuckuck (Anis) beispielsweise bildet Nest-WGs: Mehrere Paare bauen gemeinsam ein Nest und brüten dann darin ihre Eier aus.

Als die Firma Feldmühle 1962 ein Klopapier unter dem Namen »Adios« auf den Markt brachte, forderte die katholische Kirche vehement die Umbenennung: Ein so profanes Produkt dürfe nicht »Gott befohlen« heißen – so die deutsche Übersetzung von »Adios«.

Die exakte Entfernung zwischen der Nasenspitze und dem Daumen am ausgestreckten rechten Arm von König Heinrich I. (1068–1135) wurde in Großbritannien als Längeneinheit Yard (91,4 Zentimeter) festgelegt.

Am 16. Oktober 1757 wurde Berlin von österreichischen Truppen unter Oberbefehl von Feldmarschallleutnant Andreas Hadik besetzt. Das Heer hielt die Stadt jedoch nur einen Tag und zog gegen Zahlung eines Tributs wieder ab. Als Beweis für die Besetzung wurden zwei Dutzend Damenhandschuhe für Maria Theresia mitgenommen.

Gibt man Spinnen Amphetamine (Speed), bauen sie ihre Netze rasend schnell – allerdings mit so großen Lücken, dass sie unbrauchbar sind. Gibt man den Spinnen jedoch Marihuana, fangen sie ganz normal an zu arbeiten – lassen aber nach kurzer Zeit die Arbeit Arbeit sein und machen gar nichts mehr.

Auf der Nürnberger Spielwarenmesse wurde 1950 ein Atom-Labor für Kids vorgestellt. Für 42,50 Dollar bot der amerikanische Hersteller ein Set mit Wilson'scher Nebelkammer, Geigerzähler und radioaktiven Mineralien an.

In der Schokoladenfabrik Sprengel in Hannover mussten die Frauen, die am Fließband die Pralinen in die Schachteln sortierten, anfangs bei der Arbeit singen. Nicht um das Betriebsklima zu verbessern, sondern damit sie nicht so viel Schokolade aßen.

Man kann iPhones und iPads neben dem Finger auch mit dem Fuß, der Zunge oder der Nase bedienen, nicht aber mit dem Knie, dem Handrücken oder irgendwelchen Gegenständen.

Thomas Jefferson, einer der Gründervater der USA und Mitautor der amerikanischen Unabhängigkeitserklärung, besaß bis zu seinem Lebensende 1826 eine Plantage in Virginia, auf der er Sklaven hielt.

Das Bordell »Big Sister« in Prag bietet seine Leistungen kostenfrei an. Allerdings werden die Geschehnisse gefilmt und können gegen Bezahlung im Internet betrachtet werden.

Das Wort »Vanille« kommt von dem spanischen Wort »vainilla«, einer Verkleinerungsform von »vaina«, was »Schote«, »Hülse« oder auch »Scheide« bedeutet und vom lateinischen Wort vagina herrührt.

Das Kuhblasen ist ein Verfahren, bei dem durch kräftiges Einblasen von Luft in die Vagina einer Kuh versucht wird, diese zu höherer Milchproduktion anzuregen.

Findet ein US-Bürger eine Insel mit einer speziellen Art von Vogelexkrementen, so gehört sie unter bestimmten Bedingungen automatisch zum Territorium der USA – dies ist gesetzlich geregelt im Guano Islands Act von 1856.

Zur Verteidigung des Papstes verfügt die Schweizergarde über eigens für sie konzipierte Munition wie beispielsweise die 12,7-Millimeter-Patrone Remington Papal mit Bachmann-Patentzündung.

Joshua Norton ernannte sich 1859 zum Kaiser Norton I., Kaiser der Vereinigten Staaten von Amerika und Schutzherrn von Mexiko.

Der Turm des Empire State Building in New York wurde ursprünglich als Anlegeplatz für Luftschiffe konzipiert.

In Gedenken an Una Spivey, eine beliebte Personalbetreuerin des British Antarctic Survey, wurden die Gipfel am Kap Renard/Antarktis inoffiziell auch »Una's Tits«, also »Unas Titten« genannt.

Zzyzx ist von der alphabetischen Reihenfolge her gesehen der letzte Ort der Welt.

Ein Ortsteil von Seedorf/Niedersachsen ist Berlin. Passend zum Hauptstadt-Namen gibt es dort als Straßen auch Unter den Linden oder Kurfürstendamm.

Patienten, die an der Fischgeruchskrankheit leiden, verbreiten den Geruch von altem Fisch.

Unter Kokovorismus versteht man die Überzeugung einer Anfang des 20. Jahrhunderts nudistisch lebenden religiösen Gemeinschaft, die die Kokosnuss als vollkommenste Nahrung des Menschen ansah, die den Menschen auch zu einem gottähnlichen Zustand der Unsterblichkeit führen könne.

Mit dem Slogan »Halbe-halbe« wurde in Österreich in den 1990er-Jahren die Gleichbeteiligung der Männer an der Hausarbeit gefordert.

Annies Kiosk ist mit täglich 1000 verkauften Hotdogs der bekannteste Imbissstand in Süddänemark.

Die Giraffe Rieke war das einzige evakuierte Tier, das nach dem Zweiten Weltkrieg in den Zoologischen Garten Berlin zurückkehrte.

San Bernardino da Siena ist die offizielle Gemeindekirche der chinesischen Katholiken in Rom.

Seit das Kraftwerk Oberhavel nicht mehr in Betrieb ist, ist die Größe der Fische im Teufelsseekanal deutlich zurückgegangen.

Wegen vergangener Ausschreitungen hat der türkische Fußballverband am 20. September 2011 nur Frauen und Kindern den Eintritt ins Stadion zum Spiel Fenerbahçe Istanbul gegen Manisaspor erlaubt. Bilanz: 41 000 Zuschauer (ausverkauft), keine Ausschreitungen, Applaus für beide Mannschaften, Ergebnis 1 : 1.

Der Landvermesser In Tadataka erstellte die erste vollständige Karte Japans, indem er Distanzen anhand der Zahl seiner Schritte ermittelte und so fast 35 000 Kilometer größtenteils zu Fuß zurücklegte.

Im kenianischen Tsavo-Nationalpark wurde herausgefunden, dass Elefanten hervorragende Geräuschimitatoren sind. Eine Elefantenkuh ahmte z. B. das Brummen von Lkws nach. Im Baseler Zoo lebt ein Elefantenbulle, der zwitschern kann.

Der bürgerliche Name von Michael Keaton ist Michael Douglas.

Gott existiert zu 67 Prozent. Der britische Physiker Stephen D. Unwin hat anhand einer 250 Jahre alten mathematischen Theorie von Thomas Bayes (1702–1761) berechnet, dass die Chancen für die Existenz 2 : 1 stehen.

Clownfische machen es sich einfach, wenn kein Partner des anderen Geschlechts verfügbar ist: Der kleinere der beiden wird innerhalb weniger Tage zum Männchen, während der größere zum Weibchen wird und die komplette Ausstattung fürs Eierlegen ausbildet.

Männchen der Wespenspinne legen Weibchen nach dem Sex eine Art Keuschheitsgürtel an – und zwar den eigenen Penis. Bei mehr als 80 Prozent der männlichen Wespenspinnen bricht der Penis nach dem Akt ab und verstopft die Geschlechtsöffnung des Weibchens.

In Sydney wird in einer Filiale von Ikea eine Art Hort für Männer errichtet. Das sogenannte Mänland bezweckt, dass Männer unterhalten werden, während ihre Frauen bei Ikea shoppen. Die Männer können dort gratis Hotdogs essen, XBox zocken, Sportsendungen schauen und an Flipperautomaten sowie an Kickertischen spielen. Vier Tage lang soll das Mänland am Vatertagswochenende getestet werden. Damit die Frauen ihre Männer nach dem Shoppen nicht dort vergessen, ertönt nach einer halben Stunde ein Buzzer bei ihnen.

Als König Karl I. von Spanien zum deutschen Kaiser Karl V. (1500–1558) gekrönt wurde, brachte er viele Sitten und Gebräuche des spanischen Hofes mit nach Deutschland. Dadurch kam vielen Höflingen alles »etwas spanisch« vor.

Mit 14 schrieb Hillary Clinton einen Brief an die NASA, was man tun müsse, um Astronaut zu werden. Die Antwort lautete schlicht: »Be a man.«

Früher wurde den Weinsklaven in Rom die linke Hand auf den Rücken gebunden, damit sie kein Gift ins Glas schütten konnten. Aus diesem Grund haben Kellner heute beim Weineinschenken immer noch die linke Hand auf dem Rücken.

Die spanische Inquisition hatte die gesamten Niederlande wegen Ketzerei zum Tode verurteilt.

Ist die große Zehe die längste, so spricht man von einer ägyptischen Fuß-form. Ist jedoch die zweite Zehe die längste, handelt es sich um eine grie-chische Form.

Der »Erikativ« ist das Fachwort für die durch *Micky Maus* und *Donald Duck*-Geschichten berühmt gewordenen Gefühlsbilder, wie z. B. GRUMMEL, HAU, GRÜBEL KNIRSCH etc.

In *Asterix der Gallier* ist die 35. Seite die einzige, die nicht von Albert Uderzo gezeichnet wurde, sondern von seinem Bruder Marcel, den er einst ausge-bildet hatte. Die Originalseite war beim Drucken verloren gegangen und wurde erst 1970 von seinem Bruder neu gezeichnet.

Die Zahl 40 heißt auf Französisch »quarante«, und genauso viele Tage lang dauerte die Hafensperre für Pestschiffe. So entstand der Begriff »Quarantäne«.

Der Vatikan legte 1971 offiziell Protest gegen die *Sendung mit der Maus* ein. Nicht etwa aus inhaltlichen Bedenken, sondern weil diese sonntags um 11.30 Uhr lief und der Vatikan der Ansicht war, dass die Menschen zu die-ser Zeit in der Kirche sein sollten.

Eine Tochter von Frank Zappa heißt Diva Thin Muffin Pigeen.

Störenfried, Puhbert, Ogino und Bierstübl sind Namen, die u. a. von deut-schen Standesbeamten nicht zugelassen wurden.

Das schielende Opossum Heidi († 28.09.2011) hatte bei Facebook rund zehnmal mehr Freunde als die deutsche Bundeskanzlerin.

Die zweithöchsten Berge jedes Kontinents zu besteigen gilt als schwieriger als alle höchsten.

Bei den alten Griechen galt der Schnupfen als Zeichen dafür, dass sich im Kopf zu viel Müll angesammelt hat.

Desperate Housewives-Produzent Marc Cherry hat die Figur der Bree Van De Kamp nach eigenen Angaben nach dem Vorbild seiner Mutter erschaffen.

Abtrittanbieter liefen vor Einführung öffentlicher Toiletten (Ende des 18. und Anfang des 19. Jahrhunderts) durch die Städte und boten Holzeimer zum Verrichten der Notdurft an.

Eigentlich sollte er Mäuse jagen, aber ein Kater namens Casper aus Südengland verbringt seine Tage lieber mit Busfahren. Er reiht sich schon seit Monaten an einer Bushaltestelle in Plymouth in die Schlange der Pendler ein, trottet dann in das Fahrzeug und macht es sich bequem. »Die Passagiere lieben Casper«, teilte ein Busunternehmen aus der Grafschaft Devon mit.

Englische Wissenschaftler haben herausgefunden, dass allein durch das Anstarren leicht bekleideter Damen das Gehirn von Männern wächst. Sie können dann klarer und schneller denken und besser Entscheidungen fällen.

Verheiratete Männer schlafen meist auf der rechten Seite des Bettes.

Flusspferde furzen durch den Mund.

Jeder zehnte Westeuropäer wurde in einem Ikea-Bett gezeugt.

> **Sellerie hat negative Kalorien: Es kostet den Körper mehr Kalorien, eine Stange Sellerie zu essen und zu verdauen, als diese enthält.**

Jeder Mensch hat einen einzigartigen Zungenabdruck.

Das doppelte Lottchen wurde 1949 offiziell als für Kinder nicht empfehlenswert eingestuft, weil die Eltern im Buch geschieden sind.

50 Prozent der Weltbevölkerung haben noch nie einen Telefonanruf getätigt oder erhalten.

Preiselbeeren werden zur Überprüfung des Reifegrades fallen gelassen. Eine reife Preiselbeere springt wie ein Gummiball.

Anne Boleyn, die Mutter von Queen Elizabeth I., hatte drei Brüste.

1970 veröffentlichte eine US-Seifenfirma in der saudi-arabischen Presse eine Werbeanzeige für ein neues Seifenpulver. Links sah man einen Haufen schmutziger Wäsche, in der Mitte einen Waschbottich mit Seifenschaum und rechts einen Haufen strahlend weißer Wäsche. Die Anzeige hatte allerdings keinen Erfolg, da Araber von rechts nach links lesen.

Wenn in Zeitungen anstelle eines Agenturvermerks nicht bestätigte Berichte als Quelle benutzt wurden, war es üblich, den Vermerk »N. T.« für »non testatum« (nicht überprüft) anzufügen. Spricht man diese beiden Buchstaben auf Deutsch aus, erhält man »En-Te«, also »Ente«. So entstand der Begriff »Zeitungsente«.

Die durchschnittliche Fahrzeit für Pendler in New York beträgt 2 Stunden.

Die Tatütata-Regel ist eine Eselsbrücke in der Chemie für Anordnung der Alkoholgruppen beim Traubenzuckermolekül. »Ta« steht für rechts, »Tü« für links, also erfolgt die Anordnung rechts-links-rechts-rechts.

Ein Golfball, der auf einem Platz in 2000 Meter Höhe abgeschlagen wird, fliegt 10 Prozent weiter als einer, der auf Höhe des Meeresspiegels gespielt wird.

Monaco besteht als reiner Stadtstaat nur aus einer einzigen Stadt. Monte Carlo ist nur ein Stadtteil dieser Stadt.

Der Fünf-Meter-Raum auf dem Fußballplatz müsste eigentlich Fünfeinhalb-Meter-Raum heißen. Die Fußballregeln der FIFA schreiben nämlich ausdrücklich vor, dass der Abstand zwischen der Torlinie und der Begrenzungslinie des Torraums (so heißt der Fünf-Meter-Raum offiziell) 5,50 Meter betragen muss.

In Finnland werden seit 1999 Saunameisterschaften ausgetragen. Dabei wird nach strengen Regeln geschwitzt und die Saunen stehen auf einer Bühne, damit das begeisterte Publikum seinen Favoriten beim Schwitzen zusehen kann.

Glynn Wolfe ist der am häufigsten verheiratete Mann der Welt. Insgesamt sagte er 28-mal Ja. Lustigerweise war die letzte Frau, die er schließlich heiratete, ausgerechnet die weibliche Rekordhalterin in derselben Disziplin, nämlich Linda Essex. Diese war zu diesem Zeitpunkt bereits 23-mal verheiratet gewesen.

In Russland befinden sich mehr 100-Dollar-Noten als in den USA.

Laut Studien schenken etwa sieben von zehn Briten ihrem Hund etwas zu Weihnachten.

Mehr als 12 Prozent aller Paare, die heutzutage in den USA heiraten, haben sich im Internet kennengelernt.

Etwa drei Viertel aller Menschen waschen sich beim Duschen von oben nach unten.

Das Häkchen, das man setzt, um anzuzeigen, das etwas in Ordnung ist, stand ursprünglich für ein »v« und zwar abstammend vom lateinischen »vidi«, das bedeutet »ich habe es gesehen«.

Der Text des in Deutschland häufig an Baustellen angebrachten Hinweisschildes »Eltern haften für ihre Kinder« entspricht nicht den tatsächlichen juristischen Gegebenheiten. In Deutschland haftet man nur für das, was man auch selbst anrichtet.

In Berlin werden hundertmal mehr Döner-Kebabs verkauft als Currywürste.

In Indien ist es Tradition, dass schwangere Frauen das Wasser trinken, in dem sich der Kindsvater vorher den großen Zeh gewaschen hat. Angeblich soll das Kind auf diese Weise die Stärke des Vaters in sich aufnehmen.

Nach dem amerikanischen Journalisten Thomas Lauren Friedman haben noch nie zwei Staaten, in denen es McDonald's Restaurants gibt, Krieg gegeneinander geführt.

Der vollständige Titel von Fürst Albert II. von Monaco (Albert Alexandre Louis Pierre Rainier Grimaldi) lautet: Prince de Monaco, Duc de Valentinois, Marquis des Baux, Comte de Carladès, Baron du Buis, Seigneur de Saint-Rémy, Sire de Matignon, Comte de Torigni, Baron de Saint-Lô, de la Luthumière et de Hambye, Duc d'Estouteville, de Mazarin et de Mayenne, Prince de Château-Porcien, Comte de Ferrette, de Belfort, de Thann et de Rosemont, Baron d'Altkirch, Seigneur d'Isenheim, Marquis de Chilly, Comte de Longjumeau, Baron de Massy, Marquis de Guiscard.

Danksagung

Angesichts der großen Beliebtheit der Facebook-Seite »Unnützen Wissen«, die schließlich im Entstehen dieses Buches gipfelte, zeigt sich, dass unnützes Wissen keinesfalls unnütz ist. Uns hat es jedenfalls einen Riesenspaß bereitet – und dies tut es nach wie vor –, die zahlreichen amüsanten und teilweise absurden Fakten und Ereignisse zu sammeln und sie mit unseren Lesern zu teilen. An dieser Stelle können wir nur noch eines sagen: DANKE! Danke an alle Fans auf Facebook, die es uns ermöglicht haben, das Projekt bereits seit so langer Zeit aufrechtzuerhalten. Ohne den großen Zuspruch und die positiven Reaktionen wäre es wohl kaum möglich gewesen, ausreichend Zeit in »Unnützes Wissen« zu investieren. Wir danken unseren Fans für die lustigen Kommentare sowie für die tausenden von Einsendungen. Es sind diese Beiträge, die eine Social-Media-Plattform wie diese erst interessant und wertvoll machen.

Im Einzelnen möchten wir uns an »Carlos Glatzos«, »Xenia Ischbinalt«, »Genie des Wahnsinns« und »Zicke Müller« richten, die mit ihrem außergewöhnlichen Engagement für einige der besten Beiträge gesorgt haben. Dafür gebührt ihnen unser größter Dank. Wir wollen auch all unseren Freunden, Bekannten und Verwandten danken, die sich der Suche nach kuriosen Fakten und Wissensinhalten angeschlossen haben. Ohne sie hätte das Projekt, und in weiterer Folge dieses Buch, ganz anders ausgesehen. Und zuletzt wollen wir noch Barbara danken, der die Idee zu »Unnützes Wissen« in dieser Form entsprungen ist.

Danke.

Robert, Paul, Matthias & Johannes

... Freunde haben, die sie bloßstellen.

... ihre Eltern, Lehrer oder
   Vorgesetzten bei Facebook als
   Freunde hinzufügen.

... ihre Beziehungsangelegenheiten
   bei Facebook
   verbreiten.

208 Seiten
Preis 8,99 € (D)|9,30 € (A)
ISBN 978-3-86883-202-0

Marjanovic | Iber
Geaddet, Gepostet, Webfail
Die peinlichsten
und lustigsten
Facebook-Einträge

Die Internetseite Webfail.at sowie die dazugehörige Facebook-Seite »Die peinlichsten und lustigsten FB Status Einträge & Fotos« sammeln witzige und peinliche Webfails und bringen damit Millionen Anhänger zum Lachen und Schmunzeln. Die 500 besten Fails – darunter viele unveröffentlichte – sind in diesem einzigartigen Buch versammelt.

240 Seiten
Preis 12,99 € (D) | 13,40 € (A)
ISBN 978-3-86882-226-7

Stein | Zangl

Unglaubliches Sex-Wissen

1111 unnütze Zahlen und Fakten aus der Welt der Erotik

Das Thema, das jeden Tag die Welt bewegt? Sex! Alle wollen ihn, alle reden darüber und Zeitschriften und Fernsehsendungen sind voll davon. Doch es gibt noch eine ganz andere Sicht auf das Zwischenmenschliche: Zahlen und Fakten! Dieses Buch enthält unzählige überraschende, lustige, verblüffende und manchmal schier unglaubliche Tatsachen um das Thema Sex und Erotik.